Destinos Cruzados

Destinos Cruzados

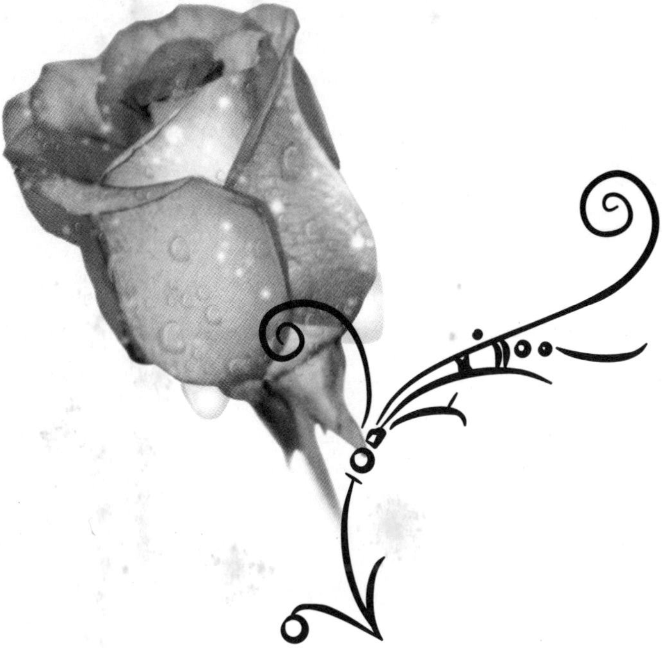

Elizabeth Chandler

Tradução
Marsely De Marco Martins Dantas

Editora Novo Conceito

Publicado sob acordo com Rights People, Londres
Título original: Evercrossed

Esta é uma obra de ficção. Os nomes, personagens, lugares e acontecimentos descritos são produtos da imaginação do autor. Qualquer semelhança com nomes, datas e acontecimentos reais é mera coincidência.

1ª Impressão - 2011

Produção Editorial
Equipe Novo Conceito

Tradução: Marsely de Marco Martins Dantas

Preparação de texto: Denise Cristina Morgado

Revisão de texto: Flávia T. de A. Mazzo e Ana Caroline de A. A. Carrara

Diagramação: Studio Spotlight

Capa: Equipe Novo Conceito

Este livro segue as regras da Nova Ortografia da Língua Portuguesa

Dados Internacionais de Catalogação na Publicação (CIP)
(Câmara Brasileira do Livro, SP, Brasil)

Chandler, Elizabeth
Destinos Cruzados / Elizabeth Chandler ;
tradução Marsely De Marco Martins Dantas.
Ribeirão Preto, SP : Editora Novo Conceito, 2011.

Título original: Evercrossed
ISBN 978-85-63219-55-8

1. Romance norte-americano I. Título.

11-08799 CDD-813

Índices para catálogo sistemático:
1. Romances : Literatura norte-americana 813

Editora Novo Conceito

Rua Dr. Hugo Fortes, 1885 – Parque Industrial Lagoinha
14095-260 – Ribeirão Preto – SP
www.editoranovoconceito.com.br

Destinos Cruzados

Romance da saga Beijada por um anjo

Elizabeth Chandler

Para Puck,
colega de trabalho que
palpitou em todos os capítulos.

Prólogo

Depois de acordar, ele passou um bom tempo pensando.

Não havia esperança. E quando não há esperança, há apenas duas alternativas: desespero ou vingança. O desespero era covarde e impotente. Ele se vingaria.

Vingança. Ouvir essa palavra lhe dava forças.

No entanto, tinha de ser cuidadoso, esperto. Havia coisas que não conhecia, coisas das quais não conseguia se lembrar.

Lembrou-se das palavras, mas não de sua procedência, talvez um velho livro. Não tinha importância; apropriou-se das palavras mesmo assim: "A vingança é minha".

Se ainda tivesse um coração, lá estaria escrito:

"A vingança é minha."

"A vingança é minha."

"A vingança é minha."

Capítulo 1

Ouçam, é tão estranho.

A névoa da noite, exalando um aroma salobro como o mar, rodeava Ivy e sua melhor amiga. O velho balanço onde estavam sentadas no quintal não parava de ranger.

— Ouça — disse Dhanya novamente. — Está... gemendo.

— Se liga, Dhanya — retrucou Kelsey, que estava esparramada na espreguiçadeira entre o balanço e a escada de entrada do chalé na qual Dhanya estava sentada. — Você nunca ouviu uma buzina de nevoeiro?

— Claro que já. Mas hoje o som está tão melancólico, como se...

— Gemendo... lamentando... murmurando... suspirando, esperando, esperando por sua amada que nunca mais vai retornar do mar — disse Beth, enfiando a mão no bolso para pegar um pequeno bloco de anotações e caneta para escrever uma contribuição para o seu próximo romance épico.

Kelsey jogou a cabeça para trás e assobiou. — Você não mudou nada, Beth. Até continua trazendo a velha "caneta de clique". Por que não escreve no seu iPhone?

— Aqui? — perguntou Beth. — Os escritores famosos sempre escreveram em papéis à luz de lampiões ardendo em óleo de baleia, vendo a chuva chicotear os telhados das cabanas sem perdão e o vento uivar nas chaminés, e ali, bem perto, ondas violentas quebrando em intermináveis...

— Tá, tá. Já entendi — disse Kelsey, balançando as pernas com impaciência.

Ivy riu. Beth olhou de canto de olho e riu também.

Desde que haviam chegado em Cape Cod, há quatro dias, Ivy sentia que Beth e Will, o namorado de Ivy, estavam o tempo todo prestando atenção em suas reações. Suspeitava não ser a única a pensar no aniversário da morte de Tristan no fim de junho. Ivy amara Tristan mais do que qualquer pessoa ou qualquer coisa no mundo. Nunca tinha sentido tanta alegria como a vivida ao lado dele. O amor de Tristan por ela parecia um milagre. Em 25 de junho, porém, completaria um ano que o pesadelo do verão passado havia começado; um ano da noite em que o irmão adotivo de Ivy, Gregory, havia tentado matá-la, e acabou acidentalmente matando Tristan.

— A névoa é tão assustadora — disse Dhanya, continuando a conversa. — A forma como invade o lugar, a forma como esconde as coisas.

A tarde de outono em que Gregory morreu fora de muita névoa. No fim, seu desejo de destruir Ivy era tão intenso que ele menosprezou o próprio perigo que corria. Quando mergulhou para a morte na ponte da ferrovia, Ivy e Will mal conseguiam ver as pedras e o rio lá embaixo.

Um ruído ameaçador fez com que Beth olhasse por detrás dos ombros. — Isso foi um trovão?

Kelsey suspirou. — Queria que chovesse de uma vez para acabar logo com isso.

— Onde está o Will? — Beth perguntou a Ivy, preocupada.

— Está pintando — respondeu, olhando para o celeiro em que Will estava.

O celeiro reformado, parte da Seabright Inn, ficava a apenas 50 metros do chalé. A noite estava escura. O celeiro tinha três suítes para hóspedes, mas, naquela segunda semana de junho, Will era o único ocupante do prédio, e a janela do quarto dele ficava de frente para o chalé das meninas. As luzes da sede, que ficava em frente ao jardim do chalé e do celeiro, pareciam manchas amarelas no meio da névoa.

— Odeio este tipo de tempo — disse Kelsey, alisando os longos cabelos castanhos. Jogou-os para trás dos ombros e disse: — Meu cabelo está ficando muito frisado. O seu também, Ivy.

Ivy sorriu e deu de ombros. Sua cabeleira loira sempre a acompanhava.

— Não acredito que a tia Cindy não instalou Tv a cabo neste chalé — disse Kelsey, ainda reclamando. — Não vou assistir à Tv em uma "sala de estar" coletiva, com tapetes de arraiolo, porcelana antiga e flores! Ela não pode me culpar por querer ir para a balada em Chatham.

— É quase meia-noite e você não vai conseguir ver nada na estrada com o seu jipe, não com essa neblina — disse Dhanya a sua melhor amiga, acrescentando: — Tem Tv a cabo no celeiro em que Will está.

— Se ele estiver pintando, é melhor o deixarmos sozinho — disse Beth.

Raios de luz cor-de-rosa iluminavam o céu a oeste. O trovão parecia soar mais alto, mais próximo.

Kelsey sorriu. — Este tipo de noite não serve para nada a não ser para ir a um barzinho ou fazer uma sessão espírita.

— Uma sessão espírita, que ótima ideia! — exclamou Dhanya. — Vou pegar meu tabuleiro *Ouija*[1].

Ivy percebeu que Beth se movimentava de maneira desconfortável no balanço. — Vou ficar fora dessa — disse Beth.

— Eu também — acrescentou Ivy, solidarizando-se com o desconforto da amiga. Imaginava que, para Kelsey e Dhanya, comunicar-se com espíritos não passava de um jogo, mas Beth

1- Quadro provido do alfabeto e outros símbolos, usado com o objetivo de manter contatos espirituais ou telepáticos. (N.T.)

não pensava dessa forma, pois tinha mediunidade e durante o ano anterior, frequentemente, sentira o perigo que Ivy estava correndo.

— Ficar fora? Por quê? — indagou Kelsey desafiadoramente. — Sessões espíritas são infantis demais para as garotas de Connecticut?

— Não, são reais demais — retrucou Beth.

Kelsey arqueou a sobrancelha, mas não disse nada.

Dhanya ficou de pé. Era bonita e franzina, com longos cabelos sedosos e olhos exóticos quase negros. — Sou boa em sessões espíritas e nesses lances mediúnicos. A galera da escola sempre me pede para ler o tarô.

— É mesmo — disse Kelsey. — Dhanya sempre foi a estrela das minhas noites do pijama. — Kelsey aproximou-se do balanço e puxou Ivy. — Vamos. Você também, Beth. Não seja "estraga-prazer".

Assim que Kelsey e Dhanya entraram no chalé, Ivy virou-se para Beth e disse baixinho: — Vai dar tudo certo.

— Não contei nada sobre o verão passado a elas, sobre Tristan ou Gregory... ou sobre qualquer outra coisa nesse sentido.

Ivy concordou com a cabeça. Dava para imaginar a surpresa de Kelsey se tivesse contado que Tristan se tornara um anjo para protegê-la de Gregory e que Beth fora a primeira a se comunicar com ele. — Elas só estão brincando.

— Você não se incomoda? — disse Beth analisando o rosto de Ivy, franzindo a testa de preocupação.

Quando se conheceram, há dois anos, Ivy achou que Beth se parecia com uma coruja de rosto doce. O rosto de Beth estava mais magro agora, e a espessa cabeleira castanho-clara estava mais longa, na altura do queixo, mas os olhos azuis ainda eram grandes e redondos como os de uma coruja, especialmente quando ficava preocupada.

Vários meses atrás, Ivy percebeu que a amiga desejava passar o verão em Cape Cod. De acordo com Beth, lá poderia ver a tempestade perfeita: uma chance de morarem, brincarem e trabalharem juntas, antes da faculdade, além de ser uma forma de ajudarem a tia de Beth e Kelsey. Recém-divorciada, tia Cindy, como era chamada por todos, administrava sua pousada com um orçamento apertado. Em troca da ajuda, ela lhes ofereceu um lugar para ficar bem perto do mar, da baía, da vegetação salobra, das trilhas de bicicleta... mas seria um verão longe de Connecticut, o que Beth mais queria para Ivy, Will e ela mesma, Ivy sabia disso. Beth estava determinada a levá-los para longe das lembranças sombrias do último verão.

— Vocês vêm ou não? — Kelsey perguntou.

— Quanto mais relutantes ficarmos, mas insistentes elas ficarão — Ivy sussurrou para Beth. — Vamos entrar no jogo.

Entraram no chalé de dois cômodos no andar de baixo: uma sala de estar e, bem atrás dela, a cozinha onde Kelsey esperava por elas. A escada que levava para o único quarto no andar superior era bem inclinada e saía da cozinha para abraçar a enorme lareira. Ivy e Beth tiraram tudo de cima da mesa no centro da cozinha enquanto Dhanya tirava o tabuleiro *Ouija* que estava embaixo da cama. Kelsey procurou velas nos armários e nas gavetas da cozinha.

— A-ha! — exclamou, segurando um pacote com seis velas vermelhas escuras que tinham aroma de *cranberry*.

— Seria melhor usarmos velas brancas — aconselhou Beth. — O branco atrai bons espíritos. Vou buscar algumas na pousada.

— Não, essas servem — insistiu a teimosa Kelsey.

Dhanya pôs o tabuleiro e o ponteiro na mesa.

— Sentem-se — ordenou Kelsey enquanto arrumava as velas em um círculo ao redor da mesa.

Ivy olhou para Beth do outro lado da mesa e sorriu, esperando diminuir a tensão percebida nos ombros rígidos da amiga. Beth balançou a cabeça negativamente, depois franziu a testa ao olhar para o tabuleiro no meio delas.

As três fileiras com as letras do alfabeto, a fileira de números na parte inferior, a palavra "adeus" virada de forma que Dhanya é quem tinha maior facilidade em lê-la. A palavra "sim" adornava o canto próximo a Ivy, e a palavra "não" estava no canto ao lado de Beth.

— Tentem não atear fogo em nós, meninas — disse Kelsey, fechando a porta dos fundos do chalé para cortar a corrente de vento. Ela acendeu as velas, depois apagou as luzes da sala e da cozinha, sentando-se de frente para Dhanya. — Então, a quem vamos invocar? — perguntou. — Quem morreu recentemente, uma pessoa famosa, uma pessoa irada... Alguém tem alguma ideia?

— Que tal aquela garota de Providence que foi assassinada há alguns meses? — sugeriu Dhanya.

— Que garota? — perguntou Kelsey.

— Você se lembra. Aquela que foi estrangulada pelo ex-namorado. Caitlin? Karen?

— Acho que é Corinne — Kelsey concordou com a cabeça dizendo: — Amor, ciúme, não dá para vencer isso.

— É melhor conhecer a pessoa com quem se faz contato — aconselhou Beth. — É preciso ter certeza do nome e, o mais importante, é ter certeza de que se está entrando em contato com um espírito benevolente.

Kelsey revirou os olhos ao dizer: — Todo mundo é especialista.

Beth insistiu: — Com um tabuleiro *Ouija*, estamos fazendo muito mais do que simplesmente conversar; estamos abrindo um portal para que o espírito entre no nosso mundo.

Dhanya mostrou que achava a ideia insignificante, abanando uma das mãos. — Pela minha experiência, podemos ter mais sucesso ao abrir um canal de comunicação com qualquer espírito que esteja disponível e bem disposto — e continuou com as instruções. — Mão esquerda por cima da direita.

Beth seguiu as orientações de forma relutante, depois Dhanya jogou a cabeça para trás e invocou: — Espírito errante, nos dê a graça de sua presença. Você viu o que não podemos ver, ouviu o que não podemos ouvir. Pedimos humildemente que você...

— Isso está parecendo missa — interrompeu Kelsey. — Vamos acabar recebendo a visita da Virgem Maria.

— Na verdade — disse Beth —, antes de começar, todas nós devíamos fazer uma oração para nossa proteção.

— Uma oração para quem? — retrucou Kelsey. — Para aquela estatueta de anjo que fica no meio da sua cama e da de Ivy?

— Não rezo para estátuas — Beth respondeu rispidamente, depois acrescentou em um tom mais gentil —, a oração é para qualquer anjo ou guardião que você quiser.

— Não é necessário — insistiu Dhanya. — Estamos sentadas em círculo, isso vai nos proteger.

Beth mordeu os lábios e balançou a cabeça. Quando fechou os olhos como se estivesse rezando, Ivy mentalizou sua própria oração em silêncio. Ivy disse a si mesma que a própria falta de fé de Kelsey proibiria que qualquer coisa, além dos cinco sentidos, ocorresse, mas estava começando a ficar preocupada.

— Posicionem os dedos indicador e médio em cima do ponteiro — disse Dhanya, que continuou a invocar: — Espírito, estamos convidando-o a se reunir conosco hoje à noite. Temos muitas perguntas a você e suas percepções serão bem-vindas. Por favor, avise-nos de sua presença — e se dirigiu aos demais dizendo: — Esperaremos em silêncio.

Elas esperaram. E esperaram. Ivy conseguia ouvir Kelsey batendo os pés por debaixo da mesa.

— Então, tá — disse Dhanya. — Vamos mover o ponteiro em movimentos circulares, de forma lenta, sobre o tabuleiro. Isso ajuda o espírito a conseguir a energia necessária para se comunicar.

Elas moveram o pequeno pedaço de madeira triangular no sentido horário, passando por todo o alfabeto e pelos números.

— Não movam tão rápido — disse Dhanya.

Repetiram o movimento circular várias vezes, com círculos suaves e estáveis, assim como o gemido de uma buzina de nevoeiro. Subitamente, o ponteiro parou. Parecia que tinha ficado preso a alguma coisa. Ivy levantou o olhar no mesmo momento que Beth, Dhanya e Kelsey. Seus olhares se encontraram acima do tabuleiro.

— Não empurrem — Dhanya aconselhou. — Deixe o espírito assumir. Deixe o espírito guiar.

O ponteiro começou a se mover novamente. Era forte, como se estivesse empurrando os dedos de Ivy com ela. Ivy examinou as mãos de Dhanya e Kelsey, procurando um tendão flexionado ou um dedo tensionado, algum mínimo sinal de que fosse alguma delas movendo o ponteiro que novamente se movia em círculos, e percebeu que estava rodando no sentido anti-horário agora.

Os olhos de Ivy se ergueram para examinar os rostos ao seu redor. Os olhos amendoados de Kelsey brilhavam, mais de surpresa do que de preocupação. Dhanya olhava para baixo, mordendo os lábios. O flamejar da vela mostrava a palidez de Beth.

O ponteiro fez outro círculo no sentido anti-horário. E mais um. Ivy contou os círculos: seis.

— Temos de parar com isso — disse Beth, inclinando-se para frente.

O ponteiro moveu-se mais rápido.

— Pare com isso — disse Beth, erguendo o tom de voz de forma ríspida. O vento lá fora estava cada vez mais forte. Ivy ouvi-o pela chaminé.

— Pare com isso agora — gritou Beth. — Mova o ponteiro para a palavra "adeus".

Um trovão retumbou.

— Mova o ponteiro para "adeus".

No entanto, parecia que uma força poderosa, inexorável, não permitia que isso acontecesse. O ponteiro movia-se cada vez mais rápido, ainda circulando em sentido anti-horário, como se sua força fosse cavar um buraco no tabuleiro. Os olhos de Dhanya arregalaram-se de medo. Kelsey xingou. As pontas dos dedos de Ivy que tocavam o ponteiro pareciam estar pegando fogo.

— Estamos abrindo um portal. Temos de...

As palavras de Beth foram interrompidas pelo ruído do trovão e por um feixe de luz. A porta não parava de bater. O copo se estilhaçou.

A boca de Beth se abriu abafando um grito. Kelsey fez menção de ficar em pé, sem tirar as mãos do ponteiro. Dhanya jogou o corpo para trás, presa à cadeira. Ivy viu as três garotas ficarem paralisadas na fração de segundos do feixe de luz azul.

"Anjos, anjos, nos protejam", rezou, esperando que a oração não tivesse sido feita tarde demais.

Capítulo 2

Kelsey correu para acender a luz. No momento em que tocou no interruptor, a escuridão tomou conta do lugar novamente. A chuva batia nas janelas. A corrente de vento que vinha da lareira trazia um cheiro de queimado.

Com as mãos trêmulas, Dhanya tentou acender novamente as velas que haviam sido apagadas. Kelsey pegou o isqueiro das mãos de Dhanya e conseguiu acender.

— Tem alguém em casa? — perguntou uma voz masculina.

Ivy suspirou de alívio. — Estamos aqui. A luz acabou. O que aconteceu? — perguntou quando Will entrou na cozinha. — Que barulho foi aquele?

— Acho que foi o gato. Estava vindo para cá quando a tempestade começou. Assim que cheguei ao chalé, a porta da frente se abriu de repente, e o Dusty veio voando para cima de mim.

As meninas levaram as velas para a sala de estar. O enorme gato laranja estava todo encolhido no canto da sala.

— Seu bobão! — disse Kelsey a Dusty. — Olha a bagunça que você fez.

Um abajur, vários copos quebrados e uma pilha de conchinhas estavam ao lado da mesa de canto próxima ao sofá. Kelsey pegou o abajur e tentou arrumar a cúpula. Will pegou os pedaços maiores do copo quebrado.

— Vou pegar uma vassoura — disse Beth, falando pela primeira vez desde que havia gritado com elas para acabarem com a sessão espírita.

— Cuidado! — Ivy disse a Will quando ele tentou pegar fragmentos menores.

Ele se virou para ela na mesma hora, os cabelos negros estavam desalinhados por causa da tempestade, os olhos castanhos brilhavam suavemente à luz das velas.

Dhanya sentou-se no sofá e levou as mãos ao colo. Ivy sentiu-se tentada a colocar o braço ao redor do ombro dela, mas não sabia como ela reagiria.

— A tempestade já está indo embora — disse Ivy de modo reconfortante.

Dhanya concordou. Ivy pegou o gato e o pôs de volta no sofá. Ele pesava quase 40 quilos, um carnívoro de Maine, com sedosos tufos de pelo atrás das orelhas. Ivy fez carinho no queixo de Dusty, depois enterrou os dedos em seu pescoço leonino. Dhanya olhou para o gato, mas não parecia ter vontade de acariciá-lo.

Beth voltou com uma vassoura, uma pá e uma sacola descartável presa debaixo do braço. Will segurou a pá e ela varreu os pedaços de vidro. Ivy não conseguia ver o rosto de Beth, mas percebeu que Will ficou olhando para ela por um tempo, bem onde sua mão esquerda segurava o cabo da vassoura. Depois colocou sua mão sobre a dela e perguntou: — Você está bem?

— Sim.

A expressão facial de Beth não deve ter sido muito convincente, pois Will manteve sua mão sobre a dela e insistiu: — Tem certeza?

— Tenho — disse Beth, segurando a vassoura mais acima e continuando a varrer.

Ivy franziu a testa, incomodada consigo mesma por ter concordado com a sessão espírita. Com tantas pessoas observando-a por meses, tinha interpretado a preocupação de Beth como mais um exemplo da superproteção da amiga. Devia ter percebido que Beth também precisava de proteção em relação às lembranças e aos medos do verão passado.

Haviam acabado de limpar tudo quando a tia Cindy chegou, vestindo sua capa de chuva amarela: nem a chuva ou a neve, nem a calada da noite conseguem parar tia Cindy. Foi assim que Beth a descreveu uma vez. Ela tinha 30 e poucos anos e uma espessa cabeleira na altura dos ombros que exibia o mesmo tom ruivo apagado de Dusty.

— Já fazia tempo que queria deixar isto com vocês — disse tia Cindy, abrindo uma embalagem com três lanternas à pilha. Entregou uma a Will e então percebeu o gato — O que houve com você, Dusty?

— A tempestade o assustou — respondeu Ivy.

— Você nunca teve medo de tempestade antes — disse tia Cindy ao gato, com reprovação. — Acho que você está fingindo. Você descobriu uma coisa boa, não é? Com as garotas aqui para te dar comida e carinho — e acrescentou, olhando para Will —, não se anime. Você tem a sua própria casa.

Will deu uma risada e disse: — E é para lá que eu estou indo.

— Certo, alguém precisa de mais alguma coisa? — perguntou tia Cindy.

— Não — respondeu Kelsey.

— Então, vejo vocês às 6h30 amanhã, na cozinha. Vocês trabalharam muito bem esta semana, mas amanhã, quando os hóspedes do fim de semana chegarem, teremos nossa primeira experiência de uma pousada cheia. Por isso, durmam um pouco.

Will olhou para Ivy como se estivesse mandando a ela um doce beijo à distância. Depois, olhou novamente para Beth para ver se estava mesmo tudo bem com ela e seguiu tia Cindy debaixo da chuva.

— O quê a Kelsey falou para tia Cindy? — Ivy exclamou na noite seguinte, quando ela, Beth e Will se sentavam em uma mesa na Olivia's, uma sorveteria no vilarejo de Orleans.

— Que ela e Dhanya nos encontrariam aqui. Eu disse a ela que, se alguma pergunta fosse feita, não daria cobertura a elas.

— Esses rapazes de Chatham — disse Will. — Como Kelsey os conheceu?

— Ela não os conhece — respondeu Beth. — A Kelsey é assim. Acreditem, ela não tem limite. Aprendi da forma mais difícil durante nossos verões, juntas, no ensino fundamental.

— Bem, é melhor que ela apareça para o trabalho amanhã — disse Will enquanto arrastavam as cadeiras pelo chão de madeira. — Não vou dar cobertura para preguiçosos.

O dia havia sido longo para eles. Limparam a sujeira da tempestade e tiveram de trabalhar em um ritmo apertado por conta das constantes chegadas de hóspedes com as mais diversificadas solicitações. Kelsey disse que não estava se sentindo bem, por isso voltou mais cedo para o chalé, mas se recuperou milagrosamente na hora do jantar. Beth e Dhanya também estavam com dor de cabeça, mas resolveram o problema com aspirina e chá.

Ivy tinha trocado o chá por um pouco de café bem forte, feito por tia Cindy, o que ficava no bule da cozinha, e não o que era servido aos hóspedes. Não conseguia se lembrar dos sonhos que a fizeram rolar e virar na cama na noite anterior, só se lembrava de ter sonhado com Tristan.

Quando se sentaram na sorveteria, Will abriu um bloco de anotações e começou a desenhar.

— Seu amigo está atrasado.

— Nós é que estamos adiantados — Ivy garantiu a Beth, que acabou ficando nervosa por ter um encontro e pediu para Will e Ivy virem com ela. — Você está tão bonita.

Beth arrumou o cabelo, envergonhada. Por Beth gostar de todos os tipos de tecidos estampados, Ivy, às vezes, achava que ela parecia vestir algum tipo de papel de parede que não combinava com nada. Hoje, porém, seguindo a orientação de Dhanya, Beth estava simples. O pingente de ametista, que Ivy e Will deram a ela no último aniversário, acentuava o tom violeta de seus olhos azuis.

— Então, quando foi a última vez que você viu esse cara?

— No ensino fundamental. A família dele tem uma casa de veraneio aqui. Não o reconheci na terça-feira quando minha mãe parou para abastecer na vinda para cá. Acho que ele também não me reconheceu, mas reconheceu a minha mãe, ela não muda. Não sei como ele ficou tão alto — continuou Beth. — E tão bonito. É como se um dos meus personagens tivesse ganhado vida.

— Então, como ele é? — perguntou Ivy ao olhar para as pessoas ao redor.

— Ele tem cabelos pretos cacheados, muito cacheados. Uma expressão forte. Já falei que ele é lindo?

— Várias vezes nos últimos três dias — respondeu Will.

— Não sei como ele ficou com aqueles ombros largos. Sabe, um tórax bem estruturado e ombros — disse Beth com as mãos, mostrando o que queria dizer.

Ivy sorriu e disse — Parece que ele daria uma boa capa de romance.

— Com os ombros e o tórax, ele tem cérebro? — perguntou Will.

— Sim. Ele entrou na Universidade de Tufts.

— Então, não sei por que você precisa de nós — resmungou Will.

— Bem, é só porque pode ser que eu não consiga pensar em nada para falar.

Will parou de desenhar e ficou olhando para ela. — Beth, você escreve diálogos românticos, há anos!

— E o que isso tem a ver com falar com um garoto de verdade? — perguntou.

— Você fala comigo o tempo todo. Não sou um garoto de verdade?

Ivy riu e disse: — Não liga para ele, Beth. Ele não entende nada.

O olhar de Will passou de Ivy para Beth e ele acabou caindo na risada com Ivy. — É, acho que não entendo mesmo — admitiu, virando a página do bloco de anotações, voltando para a que ele e Beth haviam rascunhado algumas ideias. Estavam criando um romance gráfico, Beth como escritora e Will como ilustrador, sobre Ella, a Gata Anjo, e sua companheira, Lacey Lovitt, um anjo humano lutando contra as forças do mal. Philip, o irmão de Ivy, de 10 anos de idade, havia feito esse pedido.

— O novo vilão — disse Will.

— É uma serpente — continuou Beth.

— Uma serpente — repetiu Will concordando com a cabeça. — Isso é bom, meio bíblico.

— Uma serpente com pés — acrescentou Beth.

— Excelente — disse, desenhando rapidamente. — Isso nos dá mobilidade. Estou exagerando na cabeça, para assim poder desenhar várias expressões diferentes.

Beth e Ivy inclinaram o corpo para frente, observando a criatura surgir em meio as hábeis rabiscadas de Will.

— Não, a cabeça é grande, mas não é assim — disse Beth de súbito. — Tem um rosto humano. Tem olhos com pálpebras e uma boca humana, apesar de conseguir abri-la totalmente daquela forma horrível que as cobras conseguem — disse, balançando a ametista para lá e para cá no colar. — E orelhas pequenas, ouve vibrações pela barriga. Pode ouvir emoções e palavras. É isso o que faz dela um ser perigoso.

Will ergueu o olhar ao mesmo tempo que Ivy. Parecia que ela estava descrevendo algo que via ao invés de inventando uma descrição.

— Os olhos são cinza — Beth continuou, puxando o pingente.

— Estava pensando em olhos amarelados ou âmbar — disse Will. — Tipo cor de fogo.

— São cinza — insistiu. — Tenho certeza disso.

— Elizabeth!

Ivy e Will viraram-se rapidamente para ver um rapaz de cabelos negros cacheados e olhos acinzentados. Embora seu tom de voz exigisse atenção, Beth só respondeu depois de levar uma cotovelada de Ivy.

— Oi, Chase — disse, colocando o cabelo atrás da orelha.

— Você veio com amigos — comentou Chase. — Legal.

Will levantou-se e estendeu a mão dizendo:

— Will O'Leary.

— E eu sou Ivy.

— Meus dois melhores amigos — disse Beth a Chase.

— Legal — ele disse novamente.

Ivy examinou Chase, tentando interpretar a palavra "legal". Será que aprovava os amigos de Beth ou estava irritado por ela tê-los trazido? Suspeitava que fosse a segunda opção.

Os quatro sentaram-se e um minuto de silêncio desconfortável se seguiu. Will voltou a desenhar, aparentemente sem interesse em contribuir com o diálogo romântico de Beth.

— Beth nos contou que a sua família tem uma casa de veraneio aqui — disse Ivy para puxar conversa. — Que sorte!

— Aqui, em Florida Keys e em Jackson Hole — disse. — Na água ou na neve, não importa onde, contanto que estejam esquiando.

— Sei, eu costumava ser assim — disse Will.

Ivy pestanejou de surpresa. Will detestava a neve, e suas viagens dos sonhos sempre foram a Big Apple e Paris.

— Sério — disse Chase, mas aparentemente não demonstrando interesse.

— Mas isso foi antes das minhas três cirurgias.

Ivy sabia que o único registro no histórico médico de Will eram vacinas. Parte dela queria chutá-lo por debaixo da mesa, lembrando-o de ser educado; a outra parte queria rir.

— Oh — Chase respondeu sem entusiasmo algum.

— Os médicos disseram que, se eu continuar a esquiar, pode ser que nunca mais ande.

Beth olhou para Will. Chase tinha uma expressão de quem não sabia se acreditava nele ou não.

Ivy balançou a cabeça. Will olhou para Ivy com um sorriso travesso e voltou a desenhar.

— De que praias e trilhas você gosta mais em Cape? — Ivy perguntou a Chase. — Se você vem aqui todo ano, deve conhecer todas.

— Adoro Billingsgate Island. Vou levar Elizabeth lá, amanhã.

— Você vai? — perguntou Beth, surpresa.

— Na baía, a aproximadamente nove quilômetros do Rock Harbor. Costumava ser habitado, tinha um farol, casas, uma escola e uma fábrica, mas a maré levou tudo anos atrás. Agora a ilha só tem uma maré mansa — virou-se para Beth e disse: — Vamos de caiaque e faremos um piquenique por lá.

— Parece maravilhoso — ela disse baixinho. — Mas tenho de trabalhar.

— No sábado?

Ela fez que sim com a cabeça. — Os fins de semana são os dias mais cheios em uma pousada.

— Ninguém pode cobrir o seu lugar? — perguntou, olhando para Ivy para ver se ela se voluntariava.

— A tia Cindy precisa de todos nós — Ivy disse a ele.

Will ergueu o olhar e perguntou — E você, Chase, que tipo de emprego de verão você tem?

Ele pareceu nem ouvir a pergunta de Will e continuou falando: — Tinha esperança de que você fosse me surpreender com um almoço fantástico, Elizabeth. Algo que você tivesse preparado só para nós dois.

Talvez o modo como ele dizia "Elizabeth" é que tivesse chamado a atenção de Ivy, como se fosse alguém que achasse que, por dizer o nome de uma garota, pudesse lançar um feitiço sobre ela.

— Você adoraria a ilha — ele continuou falando. — E há um barco afundado lá por perto. Quando a maré está baixa, seu velho casco emerge da água. É uma visão bem misteriosa. Servirá de inspiração para uma das suas histórias.

— Sinto muito mesmo, Chase. Que tal irmos no meio da semana?

— Estarei ocupado.

A expressão de Beth revelava sua decepção, mas ela sorriu e balançou a cabeça dizendo — Oh, pois é. Obrigada por me convidar.

Uma garçonete se aproximou deles com um sorriso. — Ei, Chase, há quanto tempo não o vejo. Voltou para o verão?

Chase se esticou todo, deixando uma das mãos sobre a cadeira de Beth, e disse — Voltei até o vento me levar para outro lado.

Will prendeu os lábios como se fosse assobiar, mas o "vento" não saiu, pois Ivy lhe deu um chutezinho. — Sorvete de morango e chocolate com cobertura dupla — Ivy disse à garçonete. — E você, Beth?

O pedido veio rapidinho, mas aquele foi o encontro de sorveteria mais longo da vida de Ivy. Uma das coisas que adorava em

Will era que, sem contar hoje, ele sempre estava entre os amigos e familiares dela. Quando ele e Ivy estavam com outras pessoas, ele apreciava as pessoas de quem Ivy gostava. No entanto, Chase era diferente, era o tipo de pessoa que isolava uma garota com sua atenção.

Mesmo assim, Beth parecia gostar dele, e Ivy fez o melhor que pôde para evitar que Will expressasse sua opinião depois que saíram da sorveteria. Assim que Beth se sentou no banco de trás do carro de Ivy, essa virou-se para ele e disse baixinho: — Sem comentários. Não é você que quer namorá-lo.

— Com certeza! — respondeu, e os dois riram.

Quando retornaram à pousada, Ivy e Beth ficaram surpresas em ver o jipe de Kelsey. Dhanya estava na cozinha, comendo bolachas.

— Pedi para Kelsey me trazer para casa — explicou. — Ela voltou com os rapazes.

Beth sentou-se à mesa e tirou três bolachas da embalagem plástica. — A sua dor de cabeça está atacando seu estômago?

Dhanya concordou com a cabeça, mastigando devagar.

— Era assim que estava me sentindo hoje cedo — disse Beth —, meio tonta.

— Quer que eu vá procurar a tia Cindy? — perguntou Ivy. — Pode ser que ela tenha algum remédio para ajudá-la.

— Não, ela vai querer saber onde está a Kelsey.

Ivy foi com Beth e Dhanya até o andar de cima carregando uma bandeja de bolachas e canecas com chá descafeinado, deixando o lanche ao lado das camas. O segundo andar do chalé era composto de um enorme cômodo e as escadas emergiam ao lado de uma enorme chaminé de tijolos no centro do ambiente. Um pequeno banheiro havia sido construído do outro lado da chaminé. As quatro camas ficavam nos cantos do chalé, sob o teto inclinado. As camas de Ivy e Beth ficavam à esquerda da escada, as de Kelsey e Dhanya, à direita.

— Igual na minha casa — disse Dhanya ao tirar o *iPod* e o fone de ouvido da bolsa e entrar debaixo das cobertas. — Obrigada, Ivy.

Um pouco antes de Dhanya colocar os fones no ouvido, Ivy percebeu um trecho da canção *Aladdin*, e sorriu para si mesma, imaginando se a Disney seria sua forma de encontrar algum conforto retrô.

Beth se aninhou em sua própria cama, cobrindo-se com um leve cobertor. As noites em Cape eram frescas. Ao virar-se de lado, Beth esticou o braço em direção à cômoda que ficava entre sua cama e a de Ivy, deixando seus dedos descansarem sobre a estatueta do anjo. Ela viu que Ivy a observava e sorriu um pouco, fechando os olhos.

Ivy deitou-se de barriga para cima, olhando para a janela baixa que ficava entre a sua cama e a de Beth. A lua nova havia começado na noite anterior, e hoje um pequeno rastro prateado iluminava o céu. O perfume de Cape naquela noite, sal e pinho, era mais forte do que as pálidas formas ao redor dela, fazendo com que os objetos cotidianos parecessem menos reais. O amor que ela havia compartilhado com Tristan era assim, mais forte do que qualquer emoção de sua vida atual, até mesmo do que seus sentimentos por Will. Ainda sentia a intensidade dessa dor.

Apesar de não admitir isso a ninguém, Ivy duvidava que um dia essa ferida fosse sarar. Por razões que não entendia, sua vida tinha sido poupada no verão passado, mas não tinha sido poupada da saudade que sentia de Tristan, era isso o que pensava ao enxugar a face molhada no travesseiro.

O modo como Tristan a fazia rir, como ele a havia atraído para sua vida, como a apreciava quando ela tocava... como é que poderia deixar de sentir saudades de Tristan, um dia?

Ivy virou-se de lado e esticou a mão para tocar o anjo entalhado em pedra. Só muito tempo depois é que conseguiu adormecer.

Capítulo 3

Na manhã seguinte, enquanto Ivy, Beth e Dhanya se arrumavam para o trabalho, Kelsey dormia, com os lençóis cobrindo-a até a cabeça e os pés saindo da cama. Todas concordaram que, se não a tirassem da cama, o verão seria bem longo com elas trabalhando e Kelsey indo para a balada. Ela foi arrastada da cama, entrando na cozinha da pousada, às 6h33.

As meninas e Will serviram o café da manhã, na animada sala matinal da pousada que possuía uma enorme varanda, depois limparam os quartos e lavaram toalhas e lençóis. No domingo, por volta do meio-dia, os hóspedes do fim de semana fizeram o *check-out* e Beth e tia Cindy foram até a igreja em Chatham. Beth voltou com uma expressão de satisfação consigo mesma — Achei um piano para você praticar, Ivy! É um modelo *baby grand*!

— O padre John disse que você é bem-vinda para usar o da igreja — explicou tia Cindy. — Apenas ligue antes para certificar-se de que haverá alguém para abrir a porta.

Will sorriu para Ivy e disse: — Temos um verão todo de piqueniques aos domingos a nossa frente — sabendo como ela estava ansiosa para tocar novamente. — Podemos mudar nossos planos de caminhada à tarde, fazendo isso no fim do dia, perto do farol de Chatham, e nos encontramos na igreja.

O sol estava se pondo no interior da madeira branca da Igreja de São Pedro; brilhava pelas janelas de vitral que percorriam as laterais do lugar, colorindo as paredes de vermelho e dourado. Uma janela acima do altar mostrava um barco no meio da tempestade, com Jesus estendendo a mão, convidando Pedro a atravessar as ondas.

A mãe de Ivy escolhia as igrejas por causa do padre, e não por causa de crenças pessoais, então Ivy frequentou uma variedade delas. Não tinha como não se sentir em casa naquela igreja com anjos desenhados nas pequenas janelas laterais e um anjo guardando um pescador na janela redonda acima da entrada.

Ela se aqueceu no piano, tocando escalas, procurando centrar-se a cada progressão, adorando o tom crescente e decrescente das notas. Como tinha esperanças de encontrar um piano, havia pedido à professora que lhe desse uma música para trabalhar durante o verão. Começou com Chopin, adorando as teclas suaves sob seus dedos, feliz por estar focada em seus esforços em aprender o primeiro movimento do concerto.

Uma hora mais tarde, alongou-se e se levantou, movimentando os ombros enquanto andava pela pequena igreja. O ângulo do sol havia mudado, e o vermelho e dourado das janelas queimavam como fracas chamas em meio à crescente escuridão da igreja. Ivy sentou-se e tocou a música predileta de Philip, "To where you are". Philip tinha certeza de que a música falava de Tristan. A primeira vez que Ivy ouviu a voz juvenil de Philip cantando a música de Josh Groban, ela chorou.

Será que Tristan estava, como dizia a música, a apenas um "suspiro de distância"? Será que, de alguma forma, ele a observava?

Ivy sempre rezou para os anjos, mas os anjos não eram pessoas que havia conhecido e amado de verdade. Olhou para as janelas de vitral ao redor da igreja e continuou pensando. Os católicos rezam para os santos e também para os anjos, e os santos foram pessoas da vida cotidiana. Quando chamava por Tristan em seus sonhos, estaria rezando para ele? Ou estaria simplesmente sentindo falta dele?

No verão passado, quando Tristan voltou na forma de um anjo, ele conseguia ouvir Ivy. E Ivy, assim que voltou a acreditar em anjos novamente, conseguia ouvi-lo sempre que entrava em sua mente. Entretanto, assim que ela se safou de Gregory, Tristan partiu. Ele disse que a amaria para sempre, mas que não poderia ficar com ela. Daquele momento em diante, ela não conseguiu mais ver o brilho dele ou ouvir sua voz em sua mente. Será que ele ainda a ouvia? Será que ele tinha ao menos consciência da existência dela?

— Se você puder me ouvir, Tristan, essa é para você — e começou a tocar a "Sonata ao luar", de Beethoven, o movimento que havia tocado para ele na primeira vez em que ficaram juntos. No final, ficou parada por vários minutos e as lágrimas rolaram em seu rosto.

— Estou aqui, Ivy.

Ela se virou e disse: — Will.

Ele estava sentado no último banco da igreja. Ela não o ouviu entrar. No profundo crepúsculo do ambiente, não dava para ver o rosto dele. Ele se levantou devagar e caminhou em direção a ela, que rapidamente enxugou as lágrimas.

Quando chegou até Ivy, havia tanta tristeza em seu olhar que ela teve de desviá-lo. Ele enxugou sua face gentilmente com as mãos. — Essa foi a música que você tocou no festival — disse baixinho. — Era a música do Tristan.

— Sim.

— Sinto muito por você ainda sofrer.

Ela concordou com a cabeça em silêncio, com medo de que a voz soasse trêmula quando começasse a falar.

— O que você quer que eu faça? — ele perguntou com a fala repleta de emoção. — Quer que eu saia? Fique? Posso esperar do lado de fora da igreja até você se sentir pronta, se isso ajudar.

— Fique, fique, Will. Estou pronta para ir. Venha comigo devolver a chave à sacristia e depois vamos caminhar.

Will ficou perto dela, caminhando ao seu lado até o carro, mas não pegou em sua mão como de costume, nem mesmo a tocou. Ele dirigiu em silêncio até o estacionamento do farol de Chatham.

"É apenas uma data", queria dizer a ele. "É apenas aquela época do ano em que as lembranças se remoem. Vai ficar tudo bem". Mas não conseguia dizer nada disso, pois não tinha certeza de que era verdade.

O céu acima do oceano estava azul-escuro, as primeiras estrelas começavam a surgir no céu. No céu a oeste, os últimos respingos laranja desapareciam rapidamente, fazendo com que o longo trecho de praia, ao sul do farol, parecesse uma pintura púrpura. Caminharam pela praia, bem perto da água, segurando as sandálias na mão.

— Recebemos um *e-mail* do Philip — disse Will finalmente. — Você, Beth e eu. Ele quer que a gente dê uma olhada no blogue dele.

— No blogue dele! — Ivy exclamou.

— Ei, dá para respeitar? Eu li. Tem um comentário interessante sobre o acampamento de verão. Só espero que o monitor a quem ele chama de "braços de tarântula" não fique sabendo disso.

Ivy riu. — Acho que o monitor é meio peludo.

— E bem malvado, pelo menos para um menino de 10 anos. Ele designou os colegas de quarto aos rapazes. O colega de Philip vomitou nele.

— Oh!

— Isso foi depois que os outros garotos apostaram que o colega não conseguiria comer quatro cachorros-quentes em quatro minutos.

— Entendi. Acho que o acampamento de verão funciona como um treinamento para viver em repúblicas mais tarde.

Will sorriu para ela, e ela entrelaçou sua mão à dele.

— O grupo de Philip se chama "Os Texugos". Ele é o melhor batedor e apanhador do grupo.

— É claro que é o melhor. Ele é meu irmão.

Will riu e continuou. — Ele gosta de remar. Não vejo a hora que venha nos encontrar. Quero levá-lo para andar de caiaque na Pleasant Bay.

Ivy virou-se para olhar para Will. Seus cabelos negros esvoaçavam com a brisa. Seus cílios eram muito compridos e isso trazia suavidade aos seus intensos olhos castanhos. — Se bem me lembro, você prometeu a ele que se vestiriam de pirata — disse Ivy.

— Certo, bem, pode ser que ele se esqueça dessa parte.

Ivy balançou a cabeça sorrindo e disse: — Philip não se esquece desse tipo de promessa. Espero que vocês dois não aterrorizem as garotas que estiverem se bronzeando na praia.

Will riu e colocou o braço ao redor do ombro dela. Continuaram caminhando, conversando sobre Philip e desviando a conversa para falar de alguns hóspedes esquisitos do último fim de semana.

— O pessoal no quarto da estrela-do-mar — disse Will, referindo-se à suíte decorada com o tema de estrelas-do-mar —, a mulher era mãe ou esposa dele?

— A única coisa que sei é que ela não era a jovem amante dele.

— Talvez ele seja o jovem amante dela.

Ivy deu uma gargalhada e disse: — A Beth vai encher seus cadernos de personagens.

Novamente encontraram o ritmo descontraído que os acompanhava nos últimos oito meses, caminhando e conversando juntos.

Ao voltar para o carro de Will, Ivy olhou para o alto do farol e para o feixe duplo iluminando o céu estrelado. — É bonito — disse.

— Assim como você — respondeu Will com doçura, puxando-a para perto dele.

Os braços dela escorregaram por entre os dele. Ele abaixou a cabeça. Mesmo de olhos vendados, já imaginava seus beijos: gentis, apaixonados, ávidos e cheios de entrega. Conhecia a curva do lábio superior dele; o lugar entre o pescoço e o ombro em que aninhava a cabeça; o espaço entre os dedos dele que gostava de acariciar e a forma como sua mão se encaixava na dele. Ivy sabia dessas coisas e as amava e da mesma forma amava os beijos de Will.

Entretanto, não conseguia parar de pensar em Tristan.

Uma hora e meia depois, Ivy estava de pé na soleira do chalé, vendo Will voltar para o quarto no celeiro, reformado, assobiando, com esperança de pintar alguma coisa. Precisando de espaço para pensar, Ivy foi dar uma volta pela parte da pousada que dava para o mar. Como só havia dois casais hospedados até segunda-feira, as espreguiçadeiras na varanda e no gramado estavam vazias. Os arbustos margeavam o gramado e abriam caminho para pequenas árvores que cobriam o lado em que o declive era muito alto e caía no mar. No fim do jardim, um local coberto de videiras levava até os degraus de madeira, 52 exatamente, Ivy havia contado, chegando até uma passarela estreita que ligava a trilha às dunas cobertas de grama.

No meio da escadaria havia uma pequena plataforma repleta de bancos ornamentais. Ivy sentou-se, olhando para o norte. Durante o dia, a vista era espetacular; as ondas do mar quebrando sobre um banco de areia formavam uma piscina natural onde os pescadores de lagosta e outros navegantes atracavam. Em uma noite sem luar como aquela, os limites da terra, da água e do céu eram quase indistintos; as dunas e a praia eram tão profundas que não dava para Ivy ouvir as ondas quebrando. O mar, porém, se fazia presente pelo forte cheiro de sal e pela brisa úmida. Era dessa forma que Ivy pensava em Tristan, não conseguia vê-lo nem ouvi-lo, mas, mesmo assim, sentia sua proximidade.

Ivy engoliu em seco. O que havia de errado com ela? Estava namorando Will há muito mais tempo do que o que passara com Tristan, então por que não conseguia parar de pensar nele?

Lembrou-se do que a mãe de Tristan lhe dissera certa vez: "Quando se ama alguém, não acaba nunca. Você supera porque tem de superar, mas o leva consigo em seu coração para sempre".

Ivy achou que tivesse conseguido superar. O que mais a afligia era que Will também achava que sim.

Ivy amava Will. Mas será que o amava o suficiente, já que não o amava da mesma forma que amava Tristan? Talvez sua ideia de amor fosse muito exigente; talvez esperasse demais de si mesma e de Will.

Ivy desceu até a areia, depois caminhou pela beira do mar, encontrando liberdade nos movimentos incessantes e repetitivos da água.

Não fazia ideia de quanto tempo havia se passado, mas, quando finalmente voltou ao chalé, viu que Beth estava de pé na varanda, com o celular em mãos. — Ivy! Graças a Deus você voltou!

— Aconteceu alguma coisa?

— Temos de buscar Kelsey, antes que ela faça uma besteira. Quer dizer, mais besteira — Beth se corrigiu, sorrindo. — Pegue a chave do seu carro. Eu tenho o endereço, quer dizer, mais ou menos.

— Onde está Dhanya?

— Com a Kelsey. E só um pouquinho mais sóbria do que ela.

— Onde está tia Cindy? — perguntou Ivy.

— Ainda não voltou.

O telefone de Beth tocou. — Lá vamos nós novamente — depois de ouvir por um momento, disse. — Dhanya, já te disse antes. Tire as chaves do alcance dela. Jogue-as no mar se for preciso. Não, não! Dirigir não é uma boa ideia para você.

— Já volto — disse Ivy.

— É melhor chamar o Will? — perguntou Beth.

— Não, ele está pintando, e vai levar muito tempo para se limpar.

Ivy voltou com as chaves e a carteira, e elas entraram correndo no carro.

— Para onde vamos? — perguntou Ivy ao ligar o carro.

— Para uma rua que fica em algum lugar perto da 28.

— Beth, três quartos de Cape Cod ficam perto da 28.

— Ela disse Marsala Road. Mas nunca ouvi falar nessa rua.

Ivy inseriu o nome no GPS, com Orleans como cidade, depois Brewster e depois Harwich. — Não tem nada com esse nome.

— Ela disse que passaram por um farol. Tente Eastham ou Chatham, há faróis por lá. Primeiro Chatham. Minha prima sempre vai aonde o dinheiro está.

— Marsala Road, apareça, Marsala Road — disse Ivy.

— Morris Island Road — exclamou Beth de súbito. — Aposto que é lá. Ela não estava se expressando direito. Acho que tem um lugar em Chatham que se chama Morris Island.

Ivy digitou.

— Acabei de ter uma ideia para um novo aplicativo. Um que interprete orientações dadas por garotas bêbadas no meio da balada — disse, apontando para a rota que apareceu na tela. — Lá está, ao sul do farol.

Ivy saiu da estrada de cascalho e foi em direção a Cockle Shell Road. — Sei o caminho até o farol. Will e eu caminhamos pela praia hoje à tarde.

Ivy fez a volta com o carro. Quando chegaram à estrada 28, aumentou a velocidade, feliz por já ser 23h50 e por isso não estar tão cheio.

— Tenho vontade de estrangular Kelsey — disse Beth. — Tenho vontade mesmo.

— Tente falar com ela pelo celular.

— Tentei. Não consegui.

— Então tente falar com a Dhanya novamente. Precisamos de um endereço.

Conforme Ivy dirigia, pensava em Will. Ele ficaria chateado por não terem pedido a ajuda dele. Mas Ivy não podia pedir mais um favor, sabendo o que já tinha feito por ela, sabendo que, enquanto ela o beijava, tudo em que conseguia pensar era...

— Ela não está atendendo — disse Beth.

— Continue tentando.

Elas dirigiram pela área comercial de Chatham e passaram pelo farol. As casas de praia alinhavam-se pelos dois lados da rua, a maioria das janelas estava apagada. — Devemos estar nos aproximando do Stage Harbor — disse Beth ao olhar para a tela do GPS. — Lá está. A rua em que estamos vai dar direto na Morris Island.

Um minuto mais tarde, entraram na comunidade reflorestada da ilha. Os faróis do carro de Ivy mostravam uma rua estreita e cheia de curvas e árvores. — Quer que eu continue indo? Não é um lugar muito bom, só tem algumas ruas — disse, olhando o mapa. — Talvez possamos ir mais devagar e tentar ouvir o barulho de festa.

Elas abaixaram os vidros dos carros. Ivy foi bem devagar, ouvindo atentamente. A rua terminou em uma bifurcação. Enquanto Ivy virava o carro, Beth tentou ligar para Dhanya novamente.

— Consegui! Dhanya, ouça-me. Estamos perto. Qual é o endereço? Então, pergunte para alguém! Quem é que está dando a festa? A pessoa deve saber onde mora!

Beth virou-se para Ivy e disse: — Inacreditável! Ela está tentando achar o dono da bebida.

Ivy balançou a cabeça negativamente e dirigiu bem devagar pela estrada em que estavam. Não seria um retorno tão legal até a pousada, pensou.

— Ivy, cuidado!

Luzes de faróis vieram do nada. A pessoa dirigia como louca, como se não houvesse ninguém mais na estrada. Ivy pisou no breque e então percebeu que parar não ajudaria. Tinha de desviar, mas a estrada era estreita demais. Acelerou, tentando encontrar um acostamento para estacionar.

— Ah, meu Deus! — Beth gritou.

Ivy virou a direção para a direita com muita força. Em um minuto, dava para sentir a estrada sob o carro; no minuto seguinte, não havia mais nada.

Duas rodas foram erguidas no ar enquanto o carro rolava e um mundo de árvores e escuridão girava ao redor delas.

— Beth? Beth? — a voz de Dhanya parecia tão fraca e distante no telefone que pulava do carro.

O lado do motorista bateu em algo sólido. Aço se amassava para a parte de dentro. Antes que pudesse gritar, o mundo de Ivy entrou em um buraco negro.

Capítulo 4

Por um momento, Ivy não tinha consciência de nada além da escuridão. Parecia que o peso da noite havia recaído sobre ela, e, então, de forma inesperada, a pressão se foi.

— Beth? Beth, você está bem?

Os olhos de sua amiga se abriram de uma vez.

— Beth. Graças a Deus — disse Ivy, aliviada. — Temos de sair deste carro. O meu lado está todo amassado. Vamos ter de usar o seu, certo?

Beth olhava para ela sem dizer nada.

— Você está me entendendo? — perguntou Ivy, incerta.

Beth continuou a olhar para Ivy.

— Vou ajudá-la — disse Ivy, tentando levantar sozinha, mas sem conseguir sair do lugar. — Pensando bem, acho melhor você me ajudar. Estou presa.

Beth olhava para ela como se não conseguisse entender o que estava vendo.

— O que foi? — Ivy perguntou.

Beth começou a tremer.

— Beth. Responda.

No entanto, era como se a amiga não pudesse ouvir ou entender o que ela estava dizendo.

— Responda, Beth, por favor!

Beth abriu a boca. E não parou mais de gritar.

— Está tudo bem, está tudo bem — disse Ivy, tentando acalmá-la. Mas Beth começou a soluçar. — Vamos ficar bem.

Ah, anjos, nos ajudem. Tristan, ajude. Tristan, precisamos de você — clamou Ivy.

Finalmente, viu-se livre do que a prendia. — Tudo bem agora — disse, tocando Beth, mas recuando, surpresa. Não conseguia sentir o ombro de Beth. Tocou-a novamente e olhou sem acreditar na própria mão que passava pelo corpo da amiga.

Então Ivy começou a entender por que Beth estava gritando, por que estava soluçando. Livre de seu corpo, Ivy estava leve, tão leve quanto um raio de luar flutuando para o alto. Olhando para baixo, via seu próprio corpo no carro capotado, o *airbag* acionado, e as ferragens do para-brisa entortadas para dentro. Ela viu a própria cabeça batida nas ferragens, o sangue escuro escorrendo.

A única dor que Ivy sentiu foi uma intensa saudade daqueles que amava. Abaixo dela, a névoa da noite encobria Beth e o carro batido. Pela estreita rua, um outro carro vinha em alta velocidade. A terra e o mar se uniam na escuridão.

A sensação de nostalgia da despedida era a única coisa que a impedia de seguir noite adentro. Falou os nomes daqueles que amava, pedindo aos anjos que olhassem por eles: "Philip, mamãe, Andrew, Beth, Will, Suzanne... Tristan. Tristan.

— Meu amor.

Ivy ficou de pé, suspensa dentro de uma catedral de estrelas. O velho mundo aos seus pés ficou imóvel, como se o tempo tivesse parado.

— Tristan?

— Meu amor.

— Tristan! — Ivy fechou os olhos para que a voz dele ficasse mais forte. — Eu posso mesmo ouvir você? Isso é possível? Oh, Tristan, mesmo na morte, quero você perto de mim.

— Mesmo na morte, meu amor.

— Para sempre, Tristan.

— Para sempre, Ivy — um brilho dourado cobria seu corpo.

— Você me disse que eu tinha de seguir adiante — disse Ivy, chorando pela lembrança de tê-lo perdido, rindo pela alegria de tê-lo encontrado. — Você disse que eu estava destinada a outra pessoa, mas não consegui me entregar.

— Nem eu.

— Todos os dias, todas as horas, era você quem estava em meu coração.

— E você no meu.

— Não me deixe, Tristan — implorou. — Por favor, não me deixe novamente — disse, sentindo o calor que a envolvia. — Preciso de você.

— Sempre estarei com você, Ivy.

Ela sentiu o beijo dele em seus lábios e disse: — Não me solte!

— Prometo, Ivy, sempre estarei com você — ele repetiu.

Seu amor se estendia por todo o corpo dela, a pureza do calor que emanava dele a queimava por dentro. Subitamente, ela sentiu seu coração batendo, batendo forte em seu peito, como um pássaro engaiolado.

Então, ele a soltou.

Capítulo 5

Do que mais você se lembra? — a policial perguntou. Ivy olhou para as nuvens pálidas do amanhecer pela janela do quarto do hospital. — Somente disto. O carro, o veículo — corrigiu-se, já que era assim que se referiam a ele — veio na direção contrária para cima de nós. Ele vinha rápido demais. Tive de desviar dele.

— Dele?

— Ou dela. Ou deles. Assim de frente, e no escuro, tudo o que dava para ver eram os faróis — lembrou-se de ter olhado para um veículo e de ter suposto que se tratava de um carro. Mas a perspectiva de alguém flutuando sobre o carro dela na estrada em que o acidente ocorreu, não fazia sentido algum para a polícia. Quase não fazia sentido para Ivy, ela mais sabia, do que entendia, o que havia acontecido.

No momento em que Ivy recuperou a consciência, seu espírito parecia extremamente leve, mas seu corpo estava pesado e desengonçado. Ela se prendeu à memória de ter estado com Tristan, com medo de que fosse se esvair por entre seus dedos.

— Você se lembra de algum som emitido pelo veículo? — perguntou a policial.

Perdida em seus pensamentos, Ivy ficou olhando para a mulher sem entender nada, até ela repetir a pergunta.

— Não — disse Ivy. — Beth estava gritando, pedindo para que eu tomasse cuidado. Isso é tudo de que me lembro.

Já tinham conversado sobre o motivo de estarem na estrada naquele horário. Ivy sabia que ela e Beth haviam passado por exames toxicológicos.

Naquela altura, o enfermeiro entrou no quarto. O rosto genial de Andy foi a primeira coisa que Ivy se lembrou de ter visto após dar entrada no Hospital Cape Cod, há seis horas. Não se lembrava de nada do pronto-socorro, mas ficou sabendo que Beth, Will e tia Cindy tinham se dividido em turnos para ficar com ela, dormindo nos sofás da sala de espera, e que sua mãe estava a caminho.

— Ivy teve uma noite difícil — disse Andy.

— Já acabei — disse a policial, levantando-se. — Se aparecerem mais perguntas, entrarei em contato. Cuide-se.

Andy verificou o registro dos sinais vitais de Ivy no computador do quarto e balançou a cabeça. — Nossa "garota milagre"! Gosto de começar uma semana de trabalho com um milagre — disse o enfermeiro bronzeado, de cabelos ruivos, com seus 40 e poucos anos. As linhas ao redor dos olhos enrugavam-se quando sorria. — Seus sinais estão bons. Como você se sente?

— Ótima.

— Você não fingiria, não é mesmo?

— Não. Bem... talvez um pouco — admitiu. — Isto é todo o meu café da manhã?

Ele levantou a tampa e viu que o prato, assim como a bandeja, estavam vazios. — Acho que você não está fingindo. Sabe, se ficarem sabendo disso, logo vai haver religiosos fanáticos se reunindo por aqui, querendo tocar sua cabeça. Não faço a mínima ideia de como essa ferida na cabeça parou de sangrar, ou de como, dada a quantidade de sangue no seu carro, de acordo com a descrição do ambulatório, os hematócritos estão normais. Mas estão. O médico disse que já viu um caso como o seu, mas, entre nós — disse Andy, abaixando o tom de voz —, o cara se acha. Ele só não quer admitir que há algumas coisas que nem ele, nem a medicina, conseguem entender.

Como os anjos, pensou Ivy. Será que Tristan a havia curado? Será que ele a salvara?

— Você tem visitas. Mamãe e irmãozinho primeiro? — perguntou o enfermeiro.

— Por favor.

Andy se dirigiu para a porta, mas voltou para abrir a gaveta ao lado da cama de Ivy. Colocou mais uma caixa de lenços de papel em cima da mesa — Pode ser que você precise disso.

— Ah, querida! — disse a mãe, entrando apressada com Philip bem atrás.

Andy tinha razão. Vários lenços de papel depois, Ivy disse: — Que bom que você não está usando delineador, mamãe.

— Nem batom — acrescentou Philip. Os olhos dele, verdes como os de Ivy, estavam bem vermelhos. — Nem aquilo que ela usa nas bochechas. Ela deixou essas coisas em casa.

Maggie raramente se afastava de seu *kit* de maquiagem. — Sinto muito por tê-la chateado, mamãe.

— Ela até esqueceu o pente — disse Philip. — É por isso que o cabelo dela está desse jeito.

Maggie ajeitou o cabelo, constrangida. — Minha cabeça está focada em você, querida. Mas não se preocupe. Lembrei-me de trazer algo para você vestir enquanto estiver aqui.

"Uh-oh", pensou Ivy.

— Felizmente, a camisola e o roupão que dei a você no Natal passado, mal foram usados.

Principalmente porque não foram usados. A amiga de Ivy, Suzanne, que estava passando o verão na Europa, havia sugerido que ela usasse o traje no baile de formatura, ou em uma festa de *halloween*. Claro que não era nada comparado ao traje de dama de honra que sua mãe havia escolhido para ela usar quando se casou com Andrew. Scarlett O'Hara em um balde de *glitter*, era o que Ivy pensava toda vez que via as fotos do casamento. Mas isso a fazia sorrir, pois, no meio de várias fotos informais do casamento que ficavam no fim do álbum, havia uma foto de Tristan, com uniforme de garçom, derrubando uma bandeja de legumes frescos em cima dos noivos...

— Ivy, você está ouvindo? — perguntou Maggie. — Quer que eu a ajude a se vestir?

— Vou usar só o roupão — disse Ivy. Como a camisola, o roupão era rosa, transparente e cheio de plumas.

— Viu só? Deixa seu rosto mais corado — disse a mãe.

Philip brincou um pouco com as plumas, depois abriu sua mochila e disse: — Trouxe duas coisas para você.

— Um boné dos Yankees! Obrigada — disse Ivy, colocando-o. — Isso vai me deixar bem popular com os médicos e os enfermeiros da nação Red Sox.

Ele mostrou seu segundo presente, uma moeda, que pôs na palma da mão dela. A peça dourada, com 2 centímetros de diâmetro, tinha a imagem de um anjo com as asas abertas, estampada nos dois lados. — Veio pelo correio.

— Parte de um pedido de ajuda de uma entidade beneficente religiosa — explicou a mãe.

— É bonita. Obrigada, Philip. Vou deixá-la bem do lado da minha cama.

— Esqueci! O papai me disse para mandar um abraço. Ele está em uma conferência em Washington — disse Philip, divertindo-se por abraçar Ivy levemente, da mesma forma que Andrew teria feito. Fazia alguns meses que Philip havia começado a chamar Andrew de "papai". O irmão era jovem o bastante para se adaptar a isso, especialmente por não conseguir se lembrar de quem era seu pai verdadeiro.

— E como vai o "braços de tarântula" — perguntou Ivy. — Ele não vai sentir sua falta no acampamento, hoje?

— Amanhã, também — disse Philip todo alegre. — Vamos passar a noite aqui.

— É sério, mamãe?! Não há necessidade. Olhe para mim, estou bem!

— Mas eu não estou — respondeu Maggie. — E Philip e eu já reservamos um quarto na Seabright.

— Will vai me levar para andar de caiaque — disse Philip.

— Ele vai?

— E vai arrumar umas varas de pescar.

— Que bom!

— E ele disse que viu uma loja de pipas, incrível, na estrada 28.

Ivy sorriu e engoliu em seco. Philip amava Will, como havia amado Tristan. Se ela e Will terminassem... Ivy não queria pensar nisso.

— Vamos deixar Will vê-la agora — disse a mãe de Ivy. — Ele está bem chateado. Viu o seu carro antes de ser guinchado. Acho que, de alguma forma, isso foi mais assustador para ele do que para você.

— É, posso entender. Você pode pedir a ele e Beth que entrem?

— Juntos? — perguntou a mãe em um tom surpreso.

— Claro.

Assim que Maggie e Philip saíram, Beth entrou correndo no quarto e se jogou em cima de Ivy. Depois recuou, perguntando: — Estou machucando você?

Ivy abraçou-a e disse: — Não tem nada para machucar.

Will entrou quietinho atrás de Beth. Ivy sorriu para ele, ainda abraçada a Beth.

— Não acredito que você esteja bem — disse Beth, tocando suavemente a têmpora de Ivy. — No carro, quando olhei para você... — estremeceu. — Queria poder tirar essa imagem da minha mente. Eu não sei como fui imaginar aquilo.

Ivy olhou nos olhos de Beth, querendo saber o que Beth tinha visto, desejando falar com ela sobre a experiência que tinha vivido. Será que Beth, que era médium, havia sentido alguma coisa? Ivy queria que Beth confirmasse que o abraço de Tristan fora mais que um sonho, mas os olhos de Beth estavam cobertos de confusão e preocupação.

— Beth, você parece estar pior que eu. Você está bem? — perguntou Ivy.

— Sim. Claro.

— Não me lembro de nada do pronto-socorro. Eles a examinaram, certo?

Beth concordou com a cabeça e disse: — É só uma pequena batida na cabeça.

— Mas uma enorme dor de cabeça — falou Will, finalmente. — Estou tentando fazê-la pegar leve.

Ele estava de pé atrás de Beth, olhando para Ivy por cima dos ombros da amiga. Será que conseguia perceber nos olhos dela? Será que sabia que, mais do que nunca, ela estava pensando em Tristan? Talvez não, pensou Ivy, tentando segurar a mão de Will. Ele aconchegou a mão dela por entre as suas. Ivy conhecia as mãos de Will de cor, dedos alongados e fortes, quase sempre manchados de tinta. Ela adorava as mãos dele.

— Você me matou de susto — disse Will, com a voz trêmula.

— Ah, Will. Sinto muito.

Ele deu um passo à frente para abraçá-la, segurando-a com todo cuidado.

— Ei, não vou quebrar. Acho que já provei isso — disse, abraçando-o com força.

Ela começou a chorar, sem saber direito todos os motivos do choro. Will limpou suas lágrimas com o carinho de sempre.

"Sempre estarei com você", Tristan lhe dissera. E era verdade, sentia que a promessa estava gravada em seu coração.

No entanto, Tristan a curou só para mandá-la de volta para Will com sua benção?

Ivy pegou a caixa de lenços de papel. — O enfermeiro Andy sabe das coisas. Sirvam-se.

— Vou mesmo — disse Beth, enxugando o rosto.

Ela e Ivy assoaram o nariz ao mesmo tempo, o que fez com que os três caíssem na risada.

— Vi que sua mãe trouxe o roupão.

Os três riram novamente.

Uma batida na porta seguiu-se por Andy mostrando a cabeça na abertura da porta, parcialmente fechada, do quarto de hospital.

— Muito bem, "mulher maravilha" — disse, empurrando a cadeira de rodas para dentro do quarto. — Tenho de mandar seus fãs para casa. — Você está sendo chamada no mundo das tomografias — disse, batendo com a mão no assento da cadeira.

Ivy abraçou Beth e Will mais uma vez. — Depois que vocês descansarem, se quiserem me fazer um grande favor, passeiem com Philip.

— Se é isso que você quer — respondeu Will, parecendo um pouco magoado.

— Obrigada, Will.

Quando eles saíram, Ivy virou-se para Andy, que apontava para a cadeira de rodas, e disse: — Prefiro andar.

— Sinto muito, é contra as regras.

— Mas eu me sinto ótima. Poderia caminhar e andar de bicicleta por quilômetros de distância — insistiu.

— Então, se ninguém estiver olhando, vou deixar você empinar a cadeira.

Ivy riu e disse: — Está certo, vamos passear.

Capítulo 6

Sempre estarei com você... sempre estarei com você... sempre...

— Já atendo você — Ivy ouviu uma enfermeira dizer a um paciente. Abriu os olhos rapidamente, viu que horas eram no relógio do hospital, 16h12, e então deixou a cabeça cair em suas mãos. Estava acontecendo novamente: por vários meses, após a morte de Tristan, toda vez que Ivy acordava de um sonho feliz com ele, sentia uma dor como se o estivesse perdendo pela primeira vez.

Naquele momento, estava sonhando, Ivy sabia disso. Mas ontem à noite não foi sonho, pensou. Na noite anterior tinha sido diferente, parecia real.

— Ei, "mulher maravilha"!

A porta do quarto de Ivy se abriu.

— É assim que estão te chamando — disse Kelsey, entrando no quarto, seguida de Dhanya, que carregava uma sacola de compras.

— Oi, Ivy — o tom de voz de Dhanya era mais meigo e mais preocupado.

— Ai, meu Deus! — exclamou Kelsey ao ver o roupão cor-de-rosa de Ivy pendurado na cadeira de rodas ao lado da cama.

— É um presente da minha mãe — explicou Ivy.

Kelsey pegou o roupão e o olhar de preocupação de Dhanya se transformou em uma risadinha abafada.

Ivy sorriu. — No armário tem uma camisola para combinar — disse, virando os pés para a lateral da cama.

— Vou pegar — ofereceu Dhanya rapidamente.

— Vai ser bom dar uma caminhada — disse Ivy.

— Ah, Ivy. Eu sinto muito. Nunca devia ter telefonado para Beth para pedir ajuda. Sou responsável pelo que aconteceu com você. Foi culpa minha. Se eu não tivesse...

— Espere um pouco. Escute — Ivy interrompeu Dhanya. — Você agiu bem em ligar para Beth. Você e Kelsey... — fez uma pausa, forçando Kelsey a olhar em seus olhos para admitir que tinha uma enorme participação nisso — são responsáveis por terem bebido e por terem ficado bêbadas, mas não pelo acidente. Vocês não causaram o acidente. Certo?

Dhanya concordou com a cabeça. Uma lágrima enorme rolava em seu rosto.

— Dhanya, melhor você guardar isso para hoje à noite — disse Kelsey. — A tia Cindy nos colocou de castigo — Kelsey explicou a Ivy. — E marcou uma conversa com nossos pais pelo Skype.

Ela abriu o armário e assobiou. — Dhanya, isso supera as suas camisolas das princesas da Disney.

Dhanya enrubesceu.

— Você viu os vestidos de noiva da Disney, não viu, Ivy? — perguntou Kelsey. — Dhanya não tem namorado, mas fica o tempo todo pensando em qual vestido vai usar quando se casar.

— Dá um tempo, Kelsey — disse Dhanya baixinho.

Kelsey tirou a camisola do cabide e perguntou, provocando a amiga: — Quer experimentar?

Kelsey tirou a camiseta e abaixou os *shorts*, estava de biquíni por baixo e vestiu a camisola. Com a mesma constituição da Serena Williams, ela parecia incrível e engraçada ao mesmo tempo.

— Vamos até o solário. Coloque o roupão e podemos fingir que somos gêmeas.

— Ou vista este aqui — disse Dhanya, abrindo a sacola e pegando o roupão verde-claro de Ivy.

— Obrigada — respondeu Ivy, agradecida, e rapidamente vestindo o roupão.

Kelsey pegou o celular do bolso dos *shorts* que havia acabado de tirar e disse: — Estou pronta.

Ivy sentou-se na cadeira e Dhanya a empurrou. Kelsey caminhava ao lado delas de biquíni e camisola transparente, acenando para as pessoas nos quartos, e depois acenando também para os funcionários de plantão como se fosse a rainha do desfile dos veteranos de guerra. Ivy não conseguia evitar o riso.

O solário, atrás das portas do fim do corredor, era um oásis tranquilo, longe do barulho do hospital e dos ruídos dos aparelhos; iluminado pelo sol em vez da fria luz fluorescente das áreas médicas. Havia cadeiras de vime, samambaias e vasos com gerânios vermelhos que faziam com que Ivy se sentisse sentada em alguma varanda.

— O lugar é só nosso — disse Dhanya. — Perto da janela?

— Perfeito.

Dhanya parou a cadeira de rodas e puxou uma cadeira de balanço para perto de si, ajeitando-se tão elegantemente quanto uma gata. Kelsey se esticou em uma cadeira de vime, olhando para a tela do telefone.

— Então, deixe-me contar sobre os caras que conhecemos — disse Kelsey a Ivy logo em seguida. — Pense em lindo e rico.

— Pensei.

— Mais rico do que lindo — corrigiu Dhanya.

Kelsey deu de ombros. — Os carros deles são lindos. Os barcos são lindos.

— Isso se eles realmente têm aqueles carros e barcos, e não estavam contando umas mentirinhas, como você — retrucou Dhanya.

Kelsey deu de ombros novamente e disse: — O que tem exagerar um pouco?

— A festa foi em uma casa fantástica — Dhanya disse a Ivy. — Então alguém tem dinheiro — virou-se para Kelsey e disse —, mas vai saber quem é quem.

Kelsey bufou para expressar seu desgosto. — Dá para ver ao conversar com eles. Mas você não conversava. Você é tão esnobe, Dhanya! Você quer dinheiro, aparência e classe. Você passa muito tempo com os seus pais.

Ivy tentou se lembrar do que Beth havia falado sobre os pais de Dhanya. A mãe dela era de uma rica família indiana. Veio para os Estados Unidos para fazer faculdade e se apaixonou por um americano. O pai dela era... advogado?

— Tá, eu nivelo por cima — rebateu Dhanya. — Se posso ter o que quero, por que vou me contentar com menos? — ela perguntou, olhando para Ivy, que sorriu e continuou discretamente quieta, mas mentalmente marcando o "ponto" para Dhanya.

— Então — disse Kelsey de uma maneira forçada, desviando o olhar de Ivy para a porta de entrada do solário —, agora já sei qual praia todos eles frequentam.

— Ivy não está disponível para arrumar namorado — Dhanya lembrou Kelsey, depois virou-se para ver o que estava chamando a atenção da amiga.

— Eu sei, mas não há problema algum em olhar — respondeu Kelsey, aproximando-se de Ivy, dando a entender, de um jeito não tão sutil, que Ivy deveria se virar.

— E se eu não quiser? — provocou Ivy.

— Qual é, Ivy? Você ainda não se casou! — disse Kelsey, sentando-se na espreguiçadeira novamente e erguendo um dos joelhos para permitir uma boa vista da sua perna bem torneada. Ivy perguntou-se para quem seria o show de provocação, mas mesmo assim não se virou.

— Ei, não seja tímido — disse Kelsey à pessoa que havia acabado de entrar no solário. — Venha até aqui.

— Eu estava de saída.

A pessoa que chamou a atenção de Kelsey e Dhanya tinha uma voz profunda.

— Mas você acabou de chegar — respondeu Kelsey, sorrindo.

"Coitado", pensou Ivy, "devia estar procurando paz e sossego".

— Não se assuste com a minha roupa — insistiu Kelsey. — É da minha colega de quarto — disse, apontando para Ivy. — Se você acha que isso é *sexy*, você tem de ver a roupa de praia dela!

— Kelsey! — Ivy virou na cadeira, pronta para se defender. Entretanto, quando olhou para o rapaz, todas as palavras fugiram de sua boca. Seus intensos olhos azuis pareciam queimar diante dos comentários provocativos e das explicações tolas. O olhar dele parecia ao mesmo tempo assombrado e desdenhoso, como se tivesse vivido algo e soubesse de algo terrível que Ivy e suas amigas jamais entenderiam.

Ivy não conseguia desviar o olhar dele, e ele não parava de olhar para ela. O rosto dele, marcado pela barba por fazer há vários dias, era mais impressionante do que belo. Barbeado e iluminado por um sorriso, seria um rosto capaz de partir o coração de qualquer garota, pensou Ivy.

Sem dizer mais nada, ele virou a cadeira de rodas e saiu. Ivy ouviu a voz de Andy no corredor: — Já? Tudo bem, amigo.

— Aposto que é ele — Dhanya sussurrou para Kelsey. — O cara de quem estavam falando quando paramos para perguntar onde era o quarto de Ivy.

— Você está dizendo que ele é aquele cara que foi tirado do mar em Chatham? — indagou Kelsey.

Dhanya franziu o cenho e disse: — Achei que ele tivesse sido encontrado inconsciente na areia, perto da água.

— Tanto faz. Deve ter sido uma festa e tanto. Mais pesada do que a nossa — comentou Kelsey, virando-se para Ivy. — Ele não fala para ninguém o que aconteceu ou como ele chegou naquele lugar. Ele nem mesmo quer falar quem ele é.

— Não é que ele não quer, ele não pode — corrigiu Dhanya. — Ele não consegue se lembrar de nada.

— É o que ele diz — apontou Kelsey.

— O que ele tem? — perguntou Ivy.

— Pelo que eu sei, nada — disse Kelsey. — Ele é grosso, mas eu o perdoo. Que rosto!

Ivy reformulou sua pergunta. — Mas por que ele foi internado? Foi por algum outro motivo além de amnésia?

Kelsey olhou para Dhanya para que ela respondesse. Dhanya deu de ombros.

— De qualquer forma — disse Kelsey —, é óbvio que Chatham é onde devemos estar.

— Temos nossa própria praia na pousada — salientou Ivy.

— Ivy, você precisa parar de pensar só em si e pensar um pouco em Beth.

— O quê? — perguntou Ivy, chocada.

— Você conhece a minha prima, ela só irá para Chatham se você e o Will forem. Ela precisa arrumar um namorado. Ela está muito presa a você.

Ivy franziu a testa, perguntando-se se havia alguma verdade naquilo.

Kelsey olhou para o telefone novamente. — Uma grande chance! — disse, em resposta à mensagem de alguém. — Apaga. Apaga. Apaga. Apaga... Pronta, Dhanya?

Dhanya levantou-se e se preparou para empurrar a cadeira de Ivy.

— Posso voltar sozinha. Vou ficar mais um pouco no sol.

Dhanya enfiou a mão na bolsa e pegou um pequeno bastonete

de manteiga de cacau, entregando-o a Ivy. — Passe perto dos olhos e finja estar na praia.

Ivy tirou a tampa para cheirá-lo. — Mmm... Muito melhor do que o desinfetante do hospital. Obrigada.

— Tenho de pegar minha camiseta e os *shorts*, então vou deixar esta camisola maravilhosa em cima da sua cama — disse ao levantar e dar uma pirueta para sair dançando pela porta.

— Obrigada por terem vindo — Ivy disse enquanto elas saíam.

Dhanya deu um leve abraço em Ivy e disse — Volte logo para casa — e depois seguiu Kelsey para fora do solário.

Ivy empurrou a cadeira até uma outra janela que servia de abrigo para uma ilha de plantas. Ela ficou ali sentada por um bom tempo, olhando para as árvores e para os edifícios ao redor do hospital, pensando na distância. Como é que podia se sentir como se tivesse sido beijada por alguém que estava em outro mundo e como se estivesse perdendo contato com alguém que estava perto o suficiente para beijá-la? "As lembranças são uma maldição", pensou. Se não se lembrasse de Tristan, poderia amar Will da forma como ele merecia ser amado.

Depois de um tempo, decidiu voltar para o quarto. Foi aí que viu o garoto sem lembrança alguma. Ele tinha voltado ao solário e estava sentado em silêncio por lá. Ao virar a cabeça, seu olhar encontrou-se com o dela. Desviou o olhar, mas voltou a encará-la novamente, e a expressão de procura em seus olhos dizia a Ivy que ele não estava fingindo. Ele estava assombrado por aquilo de que não conseguia se lembrar.

Ivy parou, deixando a sua cadeira a alguns metros da dele e disse: — Lembrar-se pode ser tão doloroso quanto não ter lembrança alguma.

O rosto dele ficou sombrio ao dizer. — Pode mesmo? Como você sabe?

De certa forma, ele tinha razão; ela não sabia nada da dor dele, assim como ele não conhecia a dela. E não havia razão para compartilhar. Era óbvio que ele não queria isso.

— Faça como quiser — ela disse e saiu.

Capítulo 7

Na terça-feira de manhã, Ivy teve alta do hospital.

— Assim que chegar em casa, vou mandar para você o restante das suas roupas de verão — disse a mãe de Ivy enquanto esperavam Andy trazer os papéis da alta.

— Sabe o que é, mamãe? Não há muito espaço no chalé. A única coisa de que preciso é um par de tênis.

O par que ela vinha usando estava ensopado de sangue, assim como as roupas que estavam no hospital. O pessoal do pronto-socorro tinha colocado tudo em uma sacola para Ivy e, antes de jogar tudo fora, ela ficou chocada ao olhar para as roupas. Mais do que nunca acreditava que Tristan a tinha ajudado. De que outra forma teria sobrevivido a tantos ferimentos?

— Tudo que você trouxe para Cape Cod tem a mesma cara, querida — argumentou a mãe. — Vou levar algumas das suas roupas para abrir espaço para roupas bonitas.

As duas passaram os dez minutos seguintes discutindo roupas, uma conversa que transcorria em círculos tão intermináveis quanto o amor da mãe por adereços.

— Philip, onde você estava? — perguntou Maggie quando ele entrou no quarto.

— Você me disse para esperar lá fora enquanto Ivy trocava de roupa. Você não me disse que era para entrar novamente.

Ivy riu.

Philip pegou o boné dos Yankees que tinha dado a Ivy e o colocou na cabeça dela. — Eu dei a moeda de anjo que trouxe para você, tudo bem?

— Claro. Muitas pessoas no hospital precisam de um anjo.

— Disse a ele que poderia rezar para Tristan.

Ivy mordeu os lábios. Philip nunca parou de falar em Tristan, acreditando que ele era um anjo muito antes de Ivy; e, naquele momento, sua fé em Tristan abalava Ivy, do mesmo modo que primeira vez em que Philip falou nele. Se ela dissesse a Philip que havia encontrado Tristan novamente, que havia sentido o abraço dele, será que Philip...

Mas não, ela não queria confundir seu irmãozinho.

Andy entrou com os papéis da alta. — Muito bem, mocinha — disse, piscando os olhos. — Já que você está usando este boné, não tenho escolha a não ser pedir educadamente que saia.

Ivy riu e agradeceu-lhe por toda a ajuda.

Já era meio-dia quando Ivy voltou para a pousada. Com apenas alguns hóspedes, as tarefas do dia estavam terminadas, e Kelsey e Dhanya estavam de biquíni. Dhanya jogou a toalha no balanço e passou filtro solar nas pernas. Beth estava de *shorts* e regata, sentada nos degraus do chalé.

— Vamos para Chatham — disse Kelsey, chacoalhando as chaves.

— Praia do Farol? — perguntou Ivy.

— Muito melhor — respondeu Kelsey. — Uma praia particular. Fui pessoalmente convidada e estou permitindo que Dhanya também tire vantagem de todo o trabalho que tive na festa de domingo à noite. Você pode vir também, se for rápida.

— Talvez outro dia. Tenho um superencontro com a "louca por compras" da minha mãe.

— Bem, se o cartão de crédito for da mamãe, não tem como o encontro dar errado — comentou Kelsey.

Quando ela e Dhanya saíram, Beth virou-se para Ivy e perguntou: — Você não vai com o Will?

— Ele vai andar de caiaque com o Philip.

— Foi isso que quis dizer. Achei que você fosse com eles também.

— Não — Ivy sentiu-se na defensiva por sua escolha e se

explicou. — A mamãe vai embora amanhã. Quero ficar um pouco com ela — Ivy sentou-se no balanço do quintal e pediu que a amiga fizesse o mesmo. — Beth, tem uma coisa que preciso perguntar a você. Depois do acidente, quando você olhou para mim, você achou que eu estivesse morta?

Beth encarou Ivy. Por um momento ela ficou em silêncio e depois perguntou: — Por que você está perguntando isso?

— Você achou? — insistiu Ivy.

— Sim, mas eu estava errada. Obviamente.

— Lembro-me de ter dito a você que tínhamos de sair do carro. Você agiu como se não tivesse me ouvido, tentei tocar em você, mas minha mão passava direto pelo seu corpo.

Beth não tirava os olhos de Ivy.

— Então, senti que estava flutuando. Lembro-me de ter olhado para baixo e visto você e eu, e também o meu corpo preso nas ferragens do carro.

— Uma experiência fora do corpo — disse Beth, rolando os olhos de surpresa. — Pessoas com parada cardíaca que passam por ressuscitação às vezes relatam isso.

Ivy aproximou-se da amiga e perguntou: — Você viu alguém fazendo ressuscitação em mim?

Beth fechou os olhos por um momento, depois esfregou a testa e disse: — Eu, eu não vi ninguém. Acho que desmaiei por alguns minutos. Lembro-me de ter aberto os olhos e visto uma luz piscando e alguém perto de mim. Tentei falar para eles de você, mas eles me diziam para ficar parada. Eu estava sendo colocada dentro de uma ambulância. Não sei onde você estava. Vai ver foi nesse momento que eles estavam ressuscitando você.

— Não... não — Ivy colocou a mão no coração, lembrando-se do momento em que sentiu uma batida bem forte. Ela não conseguia falar sem tremer, mas disse: — Foi Tristan.

— O quê?! — perguntou Beth.

— Acho que o Tristan me salvou.

Beth se afastou de Ivy e disse: — Hmm, você o chamou e ele enviou os paramédicos...

— Não, Tristan me salvou. Eu o ouvi. Senti os braços dele me envolvendo. Ele me beijou.

— Oh, Ivy — disse Beth, segurando as mãos de Ivy. — Não pode ter sido ele. Ele completou sua missão e a deixou depois de salvá-la de Gregory. Na noite em que Suzanne e eu passamos com você, um pouco antes de amanhecer, ele disse adeus. Você me disse isso.

— Estou lhe dizendo que ele estava lá, comigo.

Beth balançou a cabeça. — Foi assim que a sua mente interpretou a experiência. Ou talvez você tenha sonhado com Tristan para se sentir aconchegada.

— Foi ele — insistiu Ivy.

— Ivy, não dificulte ainda mais as coisas para você! Tristan morreu e se foi.

Ivy tirou as mãos de Beth das suas.

— Talvez seja o aniversário de morte que esteja afetando você desse jeito — disse Beth, baixinho. — Quando passar a data, vai ficar mais fácil. Mas agora, cuidado com o que você diz para o Will. Ele me disse que... enfim, não o magoe, Ivy. Essa data e a forma como ela faz com que você pense em Tristan são bem difíceis para Will.

Uma raiva inesperada tomou conta de Ivy. Ela não precisava que Beth a lembrasse dos sentimentos de Will. Como se já não estivesse se sentindo uma traidora!

Ivy virou o rosto, sentindo-se como logo após a morte de Tristan, quando as pessoas não paravam de dar conselhos a ela para esquecê-lo, nenhuma delas entendia como era difícil se lembrar e como era difícil também não se lembrar.

— Ivy — sua mãe chamou da escada traseira da pousada. — Está pronta? Beth, venha conosco, dia de passeio das garotas! Adoraria comprar algo bem bonito para você.

— Obrigada, mas não — respondeu Beth. — Estou com dor de cabeça novamente — disse para Ivy sem olhar para ela, depois deu de ombros levemente e voltou para o chalé.

Quando Ivy voltou das compras, passeio em que obteve sucesso ao desviar a atenção da sua mãe das roupas por conta de encontrar copos inquebráveis de ótima qualidade, um toque familiar soou em seu telefone.

— Oi, Will.

— Ahoy — era a voz de Philip.

— Ei, marujo — respondeu Ivy. — Por onde você anda, Barba Azul?

— Uh...

No outro lado da linha havia uma discussão com algumas andorinhas gritando ao fundo. Will pegou o telefone e explicou a Ivy como chegar em Pleasant Bay, onde ele e Philip estavam andando de caiaque. — Você pode vir?

— Só preciso trocar de roupa — disse Ivy.

Ao chegar à praia com toalhas, um pacote de bolachas e uma garrafa térmica, Ivy viu Will e Philip perto de um comprido caiaque verde que tia Cindy havia emprestado a eles. Estavam fazendo um castelo, os dois usavam bandanas de piratas na cabeça e colares com contas de Mardi Gras ao redor do pescoço. Compenetrados na escavação da areia, nenhum dos dois a viu, nem viram as várias garotas que admiravam Will.

Bronzeado, com os músculos aparecendo e o corpo todo se movimentando, as mãos de artista de Will rapidamente criavam barricadas e torres. De repente, ele olhou para cima, seus profundos olhos castanhos brilharam de prazer.

— Oh, uma donzela — disse. — Pare, Barba Azul!

Barba Azul olhou para cima e disse: — Ela é uma pirata.

— Seja bonzinho, seu cão sarnento — Ivy disse a Philip. — Ou não vou dividir com você os biscoitos de chocolate que saqueei.

— Biscoitos de chocolate? Ahoy, camarada — respondeu Will. — Deixe-me estender a toalha para você — ele pegou as sacolas de Ivy e se aproximou, inclinando a cabeça, apoiando a testa contra a dela. — É bom te ver — disse com carinho.

Ivy tirou os óculos de sol e olhou nos olhos dele.

— Piratas não são sentimentais — salientou Philip.

— Somos piratas em férias — explicou Will, beijando Ivy.

Esticaram as toalhas ao lado do castelo e comeram os biscoitos. Abrindo um saco plástico, Will pegou um bloco de papel, procurando uma página em branco. Com o lápis na mão, trabalhava rápido e, facilmente, movendo-se do papel para Ivy.

— Nem preciso olhar — disse, sorrindo. — Já conheço você de cor.

Em cinco minutos tinha desenhado dois piratas com um baú de tesouro no meio, um pequeno Barba Azul erguendo uma taça de ouro, uma garota pirata erguendo um roupão cheio de plumas. Ivy riu.

— Você acha que Lacey e Ella encontram piratas em uma de suas aventuras celestiais? — perguntou Philip.

— Vou ter de conversar com a autora, mas acho que podemos dar um jeito.

Will abriu uma nova página e começou a desenhar mais devagar algumas árvores que estavam à direita, trabalhando no desenho dos galhos de frente para a profunda curva da baía.

Ele cantava ao desenhar. A alegria dele, a felicidade por conta daquele momento, doía em Ivy.

— Philip, quer dar um passeio? — ela perguntou.

Seu irmãozinho levantou-se rapidamente e gritou: — Icem a âncora e hasteiem o mastro.

— Opa! Quem ensinou isso a você?

— Will.

Will olhou para cima e sorriu. — Não se perca, camarada.

Philip olhou para a esquerda e para a direita e disse para Ivy: — Por ali!

Estava feliz por ele ter apontado para a esquerda, para o trecho de areia da baía que criava um trecho isolado por detrás das copas das árvores. Ela caminhou em silêncio enquanto Philip, ainda jovem o suficiente para verbalizar suas fantasias, se agitava dando ordens à tripulação pirata. Ele encontrou rubis e moedas de ouro na beira da água. De tempos em tempos, erguia seu telescópio para ver o perigo no horizonte.

Depois de contornarem o local, encontraram um depósito de pedras marinhas, molhadas e brilhantes, diante do sol de fim de tarde. Ajoelharam-se para pegá-las.

— Philip — disse Ivy, tentando parecer casual. — Você disse a alguém no hospital para rezar para Tristan. Você ainda reza para ele?

— Claro.

— E ele responde?

— Você está querendo saber se eu o escuto?

— Sim.

— Não mais. Parei de ouvi-lo depois da morte de Gregory.

Ivy concordou com a cabeça e continuou a escolher as pedras, dizendo a si mesma que não poderia esperar por outra coisa e era uma tola por estar desapontada.

Philip rolou uma pedrinha por entre os dedos e depois a jogou fora. — Ouço a Lacey.

Ivy olhou para cima e perguntou: — Você a ouve? Você nunca me disse isso antes.

— Você nunca me perguntou.

Ivy sentou-se em cima dos calcanhares, pensando. Ela não sentia a presença de Lacey na casa, não sentia o intrigante brilho roxo que indicava sua presença angelical, então, supunha que, quando Tristan dissera adeus, Lacey havia partido também.

É claro que Lacey não gostava dela; Ivy sabia disso. Lacey a havia ajudado porque gostava de Tristan. Ivy suspeitava que ela estivesse apaixonada por ele.

— Yo ho ho e uma garrafa de rum — cantou Philip, remexendo nas pedrinhas molhadas e na areia com os dedos. — Os médicos disseram que foi um milagre você não ter morrido.

— É, parece um milagre. Eu rezei para... um anjo — disse, hesitante.

Philip olhou para ela como se tivesse entendido tudo subitamente. — A Lacey ajudou você?

— Acho que algum anjo me ajudou — respondeu Ivy.

— Vamos perguntar para ela — disse Philip. — Lacey! — ele se levantou e ergueu as mãos para o céu. — Ei, Lacey. Vamos, apareça, pirata!

Ela não respondeu. Philip deu de ombros, depois ajoelhou-se e continuou a mexer nas pedras. — Acho que está ocupada.

— Oh, ventos me derrubem se não é o velho pirata e sua desprezível irmã — disse uma voz rouca.

— Lacey! — disse Philip alegremente.

— Oi, Lacey — Ivy a cumprimentou, deixando não transparecer a esperança em sua voz. Se Lacey ainda estava por ali...

— Há quanto tempo — Lacey respondeu a Ivy. — O que para mim é ótimo — o brilho roxo aproximou-se dela, como se estivesse se encolhendo na areia. — Esta aqui é perfeita — uma pedra redonda e macia veio parar nas mãos de Philip.

— O que foi, Philip? Não posso ficar muito desta vez. Tenho um novo trabalho, um aprendiz que não faz a mínima ideia do que está fazendo.

Philip concordou e disse: — Só uma pergunta: você salvou a vida de Ivy no domingo à noite?

— Como? — ela se afastou de onde Ivy e Philip estavam ajoelhados para dançar na beira da água. Seu brilho era tão delicado quanto a névoa marítima, como o roxo profundo de uma concha. — Salvar Ivy?

— Beth e eu sofremos um acidente de carro — explicou Ivy.

Lacey se aproximou, andando ao redor de Ivy como se a estivesse examinando. Ivy sentiu a suave pressão dos dedos em sua têmpora e sabia que Lacey estava materializando só as pontas dos dedos; quando Tristan partiu, já sabia fazer isso também.

— Já vi cortes de papel mais fundos que esse — disse Lacey.

— Eu sei — Ivy respondeu agitando-se com confiança. — Tristan me curou.

— O quê?

— Tristan? — perguntou Philip, parecendo tão surpreso quanto Lacey.

— Não é possível — disse Lacey com determinação. — Na última vez em que estive com Tristan, ele estava indo em direção à Luz. Tinha terminado sua missão, graças a mim — acrescentou. — Agora, está muito acima de todos nós, andando por aí com o Diretor Número Um, tenho certeza.

— Mas senti os braços dele ao meu redor — Ivy insistiu, contando novamente todos os detalhes do acidente. Quando descreveu ter olhado para baixo, para o seu corpo no carro capotado, e ter ascendido em direção ao céu estrelado, a névoa roxa de Lacey ficou totalmente parada. Por trinta segundos completos, depois que Ivy terminou o relato, Lacey ficou estranhamente em silêncio. Ivy achou que ela devia ter parado de ouvir no meio da história, até que Lacey reagiu dizendo: — Inacreditável. Inacreditável!

Pequenas pedras, uma a uma, foram erguidas por uma mão invisível e arremessadas na água.

— Ei! — gritou Philip. — Aquela era a melhor que eu tinha!

— Desculpe — a chuva de pedras parou. — Espero mesmo que você tenha alucinado somente — disse Lacey para Ivy. — Porque se o que você está descrevendo realmente aconteceu, vai haver uma queda bem séria.

Ivy franziu a testa e perguntou: — O que você quer dizer com isso?

— Anjos não podem sair por aí dando o beijo da vida.

O beijo da vida, Ivy repetiu para si mesma, lembrando-se de como, quando Tristan a beijou, ela teve a súbita consciência de que seu coração estava batendo.

— É contra as regras.

— Como você sabe? — Ivy perguntou a Lacey.

— Como eu sei? Olhe para mim. O que você vê?

— Uma névoa cheia de atitude — respondeu Ivy.

— Ah, é, esqueci. Me dê só um segundo... — Lacey se materializou e depois ficou desfilando pela praia com suas calças rasgadas e uma regata comprida. — Gostou do meu novo cabelo? — perguntou, balançando a cabeça. Estava tingido de roxo, longo e liso e com uma franja. — Adquiri algumas habilidades novas desde a última vez que tivemos o prazer de trabalhar juntas.

— Uau! — exclamou Philip, esticando a mão para tocar o anjo. — Dá para ver você inteira! Você é demais, Lacey!

— Obrigada, garoto — disse, virando-se para Ivy. — Por três anos consegui com sucesso adiar a minha missão por quebrar as regras. Se não sou uma especialista em atos proibidos, quem é? Estou lhe dizendo, o Diretor Número Um não gosta que seu elenco mude o roteiro. Vai haver repercussão.

— Por ele ter me salvado? — perguntou Ivy, irritada.

— Acho que você não prestou muita atenção na escola dominical. Não se lembra da história dos anjos caídos? Eles queriam ser Deus, exatamente Deus. Dar ou tirar a vida de alguém é privilégio de Deus, não nosso.

Ivy não respondeu. Será que Tristan faria algo proibido por ela?

Lacey retorceu a boca de desgosto. — Só mesmo você para fazer com que o cara morra e, um ano mais tarde, ainda colocar a alma dele em risco!

Ivy e Philip observaram o corpo do anjo desaparecer na areia, no mar e no céu. Philip colocou a mão sobre o braço de Ivy. — Talvez você tenha sonhado.

— Talvez — ela respondeu, mas as palavras pareciam vazias, até mesmo para ela.

Capítulo 8

Durante o caminho de volta, Ivy pediu a Philip para não contar a ninguém que Tristan a tinha ajudado.

— Nem mesmo Will?

Will tinha ficado chateado apenas por ter ouvido a música de Tristan. — Não, eu mesma falo para ele daqui a algum tempo. É melhor não falar nada sobre Lacey também — acrescentou.

Ivy ficou aliviada quando Philip e sua mãe partiram na quarta-feira de manhã. Tirando a blusa de seda justa que sua mãe tinha comprado, ela colocou uma camiseta pintada à mão, tamanho GG, que havia sobrado de um evento de arrecadação de fundos da escola.

Pela primeira vez na vida, Ivy estava se sentindo desconfortável perto de Will. Cada vez que ele olhava para ela, temia que ele pudesse ler seus pensamentos e ver que Tristan estava lá. Agia com cuidado ao redor de Beth e sentia que a amiga estava fazendo o mesmo com ela. Kelsey e Dhanya, enroladas com os rapazes de Chatham, passavam a maior parte do tempo por lá, o que para Ivy era ótimo. Seu companheiro mais frequente era Dusty, o gato.

Na sexta-feira, Will levou Ivy até Hyannis para pegar um carro alugado que ela usaria até o seguro pagar a quantia devida pelo carro dela.

— Você está tão quieta — disse ao pararem no farol. — Está preocupada com alguma coisa?

— Não — a resposta dela foi curta e grossa, mas Ivy não conseguia pensar em nenhuma outra palavra para acrescentar à frase. — Não — repetiu.

Will virou-se em seu assento para analisá-la.

— O farol abriu — ela disse.

Ele concordou com a cabeça e acelerou. — Sabe, Ivy. É natural sentir-se um pouco nervosa ao dirigir novamente.

— Não estou nervosa — respondeu, percebendo a tensão no rosto dele e Will sentiu como se Ivy estivesse recusando a sua consideração por ela. — Porque... está de dia — disse, inventando uma desculpa esfarrapada. — Então, acho que não me incomoda, não como me incomodaria se estivesse escuro como no dia em que o acidente aconteceu.

Ficaram em silêncio o restante do caminho. Juntos no estacionamento, esperando pelo carro alugado, Will balançou a chave do carro e disse: — Vou com você à consulta no hospital, e talvez depois podemos parar para...

— Obrigada, não é necessário.

Ele entortou os olhos para ela e disse: — Você não dirige desde o acidente. Vamos supor que um carro, que venha na direção contrária, fique bem próximo da sua pista. Você não sabe como vai reagir.

— Vou ficar bem, Will.

— Então posso segui-la somente até o hospital em vez de ir até em casa — sugeriu.

Ivy protegeu os olhos do sol e do reflexo metálico dos carros e disse: — Eu me viro.

— Ivy, você sofreu um acidente de carro bem sério. Há uma razão para os especialistas quererem vê-la novamente, e eu gostaria de estar lá. Tudo bem? — disse, colocando as mãos nos ombros dela.

Ivy recuou, e então percebeu a surpresa no olhar de Will. Desde a noite em que haviam se unido para lutar contra Gregory, ela nunca tinha recuado diante de seu toque. — Estou bem — insistiu.

Ele balançou a cabeça negativamente. — Você não tem sido a mesma desde o acidente. Beth também percebeu.

Ivy se irritou, perguntando: — O que você e Beth ficam fazendo? Passam o tempo falando de mim?

— Desculpe-me por me importar.

— Preciso de espaço, Will!

O rosto dele empalideceu apesar do bronzeado. — Espaço... de mim?

Ela hesitou e disse: — De todo mundo. Estamos vivendo insuportavelmente próximos — quase conseguia se convencer de que o problema era realmente aquele.

— Tudo bem — ele deu dois passos para trás e abriu os braços, como se estivesse dando espaço para ela. — Ótimo — então ele se virou e foi para o carro. Virou-se para ela mais uma vez, mas Ivy não o chamou de volta como esperava, e ele saiu com o carro rapidamente.

— Pronta, Srta. Lyons? — perguntou o funcionário da empresa de aluguel que se aproximava com a chave. — Consegui um New Beetle para você.

Ela pegou a sacola com pão caseiro, geleia e biscoitos, presentes para Andy, e seguiu o funcionário até o carro.

Uma hora mais tarde, a médica disse a Ivy que mandaria os resultados dos exames quando ficassem prontos, mas que tudo parecia muito bom. — O pessoal do pronto-socorro ainda está tremendo de surpresa — disse a médica. — É legal dar boas notícias a alguém.

Depois disso, Ivy pegou o elevador até o sexto andar e esperou por Andy no plantão da enfermaria.

Ele saiu de um quarto ao lado do que ela havia ocupado, parecendo perplexo. — Alguém viu o nosso garoto? Esse garoto me deixa de cabelo em pé.

— Faz uma meia-hora que não o vejo — respondeu uma enfermeira de cabelos escuros.

— Ei, olha quem está ai! — disse Andy, abrindo um sorriso. — Voltou para fazer um acompanhamento?

— E para dar a você este agradecimento — disse Ivy.

Andy deu uma olhada na sacola e pegou o pão. Mesmo embalado, dava para sentir o aroma adocicado especial do pão de maçã com *cranberry*. Depois, pegou uma lata de bolachas e levantou a tampa. — Hummm...

— É tudo caseiro. A tia Cindy é quem cozinha na Seabright.

— Você vai dividir isso, não vai? — perguntou a enfermeira de cabelos escuros.

— Talvez — ele respondeu com um sorriso.

Conversaram por alguns minutos, então Ivy foi até o elevador, contemplando a tarde que teria pela frente. Queria dirigir sem rumo, talvez até a ponta de Cape Cod, saindo na praia para correr. Apertou o botão de descida do elevador três vezes, e então viu uma placa de saída e foi em direção às escadas. Descendo rapidamente os degraus, Ivy curtia o ruído alto da sola de seus sapatos contra o piso de concreto. Segurando-se no corrimão de metal, balançava-se no canto de cada andar como Philip teria feito, não viu a pessoa encolhida nos degraus, não até trombar com ela. Caiu em cima dele, que abriu os braços para segurá-la.

— Opa! — ele exclamou, empurrando-a um pouco para trás. Era o rapaz nada amigável do solário.

Ivy recuperou o equilíbrio, mas ele continuou segurando-a com seus olhos tão poderosos quanto suas mãos.

— Me solta — ela disse.

Ficaram lado a lado no degrau, e logo depois ela subiu mais um para ficar na mesma altura que ele.

— Vejo que está se sentindo melhor — ele comentou secamente.

— E você está se sentindo o mesmo antissocial de sempre — comentou com leveza.

Os olhos dele a encararam de cima abaixo, e ela ficou bem consciente do *jeans* justo e da camiseta *oversize*. Determinada a não ficar constrangida, também encarou o rapaz. Ele tinha feito a barba e estava usando *jeans* rasgado e velho, e um roupão atoalhado que estava bem pequeno para ele.

— Foi bom ver você, e não conversar com você novamente — disse Ivy, começando a descer a escada.

— Você tem carro?

Ela se virou para ele, surpresa com a pergunta. — Sim. Por quê?

— Preciso de uma carona.

— Uma carona agora? Para onde?

— Para não muito longe — respondeu. — Até a próxima cidade.

Ivy inclinou a cabeça.

— Providence — ele murmurou.

— Providence não é a próxima cidade. Não fica nem no mesmo Estado.

— Tanto faz — respondeu irritado. — Só me tire daqui.

Debaixo da luz fluorescente, sua pele machucada tinha um tom cinza esverdeado.

— Desculpe — ela respondeu. — Não sei que tipo de problemas médicos você tem, além de amnésia e...

— Nunca estive melhor, pelo que me lembro — disse sarcástico, começando a descer a escada com ela.

— Andy está procurando por você.

— Que se dane o Andy. Que se danem todos eles! — disse em uma explosão de raiva.

Ivy ficou calma, mas descia as escadas rapidamente, tentando ficar na frente dele sem desencadear uma corrida que com certeza perderia. — Eles vão deixar você sair quando estiver bem.

— Não posso esperar tanto assim!

Ela chegou até a porta que marcava segundo andar e a empurrou para abri-la. Não abria. Ela empurrou de novo.

Ele sorriu. — Já tentei isso. Tentei isso em todas — disse, enquanto descia a escada ao lado dela. — A única porta que abre é a do térreo.

Ivy saiu correndo pela escada, hesitando na porta que dizia primeiro andar, mas continuando a descer. O rapaz rapidamente diminuía a distância entre eles, pegando no braço dela por trás, virando-a de frente para ele, e encurralando-a contra a parede. — Pegue a chave do carro.

— Por que você quer sair daqui? — ela perguntou.

— Me passe as chaves — disse, exigindo.

— Você não sabe nem por quê. Você não tem nem ideia do que está fazendo, nem para onde está indo.

Soltando-a, ele deu um passo atrás. Era a chance que tinha de escapar, mas alguma coisa nos olhos dele a fazia ficar.

Ele sentou-se lentamente nos degraus de concreto, depois segurou a cabeça com as mãos.

— O que está acontecendo? — Ivy perguntou gentilmente.

Ele balançou a cabeça. — Não sei. Só sei que tenho de sair daqui. Tem alguém atrás de mim, preciso ir embora.

Ivy sentou-se vários degraus abaixo dele. Viu que os antebraços dele estavam bem machucados, assim como a têmpora próxima à orelha esquerda. No pescoço havia um longo corte, bem abaixo do maxilar. Havia muito mais do que ter sido encontrado inconsciente na praia ou ter sido salvo de um afogamento na história dele; ele tinha levado uma surra, uma baita surra.

Se estava encrencado, ela seria louca de se envolver nisso. Pelo que achava, ele sabia muito bem o que tinha acontecido, mas não queria admitir, pois era culpado.

Ivy começou a se levantar, e então parou. E se ele realmente tivesse que escapar, e se alguém estivesse mesmo à procura dele? Tudo o que ele pedia era uma forma de sair do hospital. A intuição de Ivy dizia para ajudar. Contudo, quando começou a conviver com Gregory, confiou na sua intuição e não podia estar mais errada.

— O que foi que disseram que você tem? — ela perguntou.

Ele deu de ombros e disse: — Não importa.

— Responda a minha pergunta.

Após um suspiro, ele começou a explicar. — Havia água em meus pulmões. É óbvio que levei uma surra. Machuquei a cabeça. As tomografias cerebrais indicam que a perda de memória não é física — ele desviou o olhar e continuou. — Fizeram-me conversar com um psiquiatra, deve ser algum problema mental, certo?

— Possivelmente — disse Ivy, sentindo pena dele, lembrando-se de como ela bloqueou em sua mente a morte de Tristan e de como a lembrança do "acidente" foi voltando pouco a pouco por meio de pesadelos assustadores.

Ele olhou para ela e disse: — Já aconteceu com você. Foi isso que você quis dizer naquele dia, quando disse que se lembrar é tão doloroso quanto não se lembrar.

Ela fez que sim com a cabeça, desejando poder dizer a ele que as coisas ficariam bem, mas a situação dela era diferente da dele. Ela tinha o carinho de Will, de Beth, de sua mãe e de Philip, e o eterno amor de Tristan para conseguir passar por isso. O que ele tinha?

— Qual o seu nome? — perguntou.

— Meu problema de memória deve ser contagioso. Como é que vou saber?

— Você disse que não se lembra de como foi que ficou machucado. Você não me disse sobre as coisas de que realmente se lembra.

Ele forçou um sorriso e disse: — O pessoal do hospital me chama de "João". "João Sem Nome" é o que escreveram na minha ficha, o que, acho, é um pouco melhor do que "Zé Ninguém".

— Como devo chamá-lo?

— Como você normalmente chama alguém que a encurrala contra a parede e exige as chaves do seu carro? Talvez de algo um pouco mais pesado do que cretino, não acha? — então ele se levantou e desceu a escada, ficando um degrau mais baixo do que ela, como se tivesse se lembrado de que ela queria que olhasse diretamente em seus olhos. — Preciso sair daqui. É a única coisa que eu sei. É a única coisa da qual tenho certeza.

Os olhos azul-escuros dele imploravam para ela, e Ivy tentou desviar o olhar para pensar com mais clareza. — Você vai ter muita dificuldade de passar pela segurança com esse roupão.

Ele enfiou o roupão para dentro da calça e disse: — Andy me emprestou para que não ficasse andando por aí mostrando o bumbum.

Ivy riu. — Tudo bem — ela disse, decidida. — Tire-o.

— O quê?

— Tire o roupão — disse a ele tentando não ficar olhando para o dorso cheio de hematomas. — Agora, vire-se de costas e não olhe para mim.

— Por quê?

— Vamos trocar de lugar.

Quando ele se virou, ela tirou a camiseta e a colocou nos ombros dele. — Pronto — disse depois de colocar o roupão.

Ele virou-se de frente novamente, vestindo a camiseta, sorriu para ela. Ela estava certa: com um sorriso, o rosto dele era do tipo que deixava qualquer garota apaixonada.

— Vai dar certo — disse. As palavras Stonehill High alongavam-se no peito dele e os ombros estavam apertados, mas ele estava chamando menos atenção do que com o roupão curto.

— Se não houver seguranças, vamos apenas passar pelo corredor como se não estivéssemos fazendo nada de errado — Ivy o instruiu. — Se formos parados, eu sou a paciente e você é a pessoa que veio me pegar. Diremos que ficamos cansados de esperar que nos trouxessem uma cadeira de rodas, já que somos obrigados a sair com ela.

— Certo.

Ivy pegou as chaves na bolsa. Ela ficou pensando o que Beth e Will diriam se contasse isso a eles. Depois, ficou pensando se o seguro do carro alugado cobria sequestro de carros.

— Então, se alguém perguntar, eu sou seu namorado?

— Irmão — Ivy respondeu rapidamente.

João sorriu, como se estivesse se divertindo com a resposta dela, e em seguida começou a descer a escada. Ele abriu a porta do térreo e saiu caminhando de forma confiante pelo saguão. Parecia tão à vontade que Ivy perguntava-se o quanto ele era experiente em fingir. O coração dela começou a bater mais forte.

Estavam na metade do corredor quando foram parados por alguém.

— A senhorita precisa de ajuda?

Por mais amigável que a voz parecesse, quando Ivy se virou, viu que o segurança estava se dirigindo a ela e João.

— Não, obrigada.

— Você é paciente?

— Era — Ivy respondeu com sinceridade.

— Tem os papéis da alta?

— Claro — disse, abrindo a bolsa para pegá-los, feliz por ter escrito as orientações para chegar ao hospital e a hora da consulta naqueles papéis. Tinha esperança de que o segurança não perceberia a data.

Reconhecendo os formulários, ele nem quis vê-los, mas disse para João: — Ela precisa de uma cadeira de rodas, e você precisa trazer o carro até a entrada para pegá-la. Regras do hospital.

— Tudo bem. Espere aqui, Isabel.

Ele pegou uma cadeira de rodas que havia sido deixada ao lado do elevador. Quando Ivy sentou, ouviu o segurança receber um chamado no rádio. — Qual a descrição do paciente? — perguntou o segurança. — Alto, cabelos dourados...

— Segure-se, Izzy.

João empurrou a cadeira em direção à porta da frente tão rápido, que ela pensou que fossem bater contra a porta de vidro.

— Ai! — ela gritou quando a porta se abriu bem na hora em que passaram pela abertura. Passaram com tudo por uma outra cadeira de rodas ocupada, pela praça de concreto e foram em direção à rua. — Espere, espere! — gritou Ivy.

— Não dá para esperar! Por onde vou? — ele respondeu gritando também.

Ela apontou a direção. Ele corria e empurrava como um louco, desviando de dois carros e virando para a direita, fazendo com que ela fechasse os olhos, segurando-se firme na cadeira.

— Vá mais devagar, seu doido! — mas ela estava rindo, e ele também, quando passaram pela fila de carros no fundo do estacionamento.

— O carro branco — ela gritou. — Breque! Breque!

Ele brecou e quase a jogou sobre o capô do carro.

Sem fôlego, saltando da cadeira, Ivy destravou o carro com dois cliques. Entrando no assento do motorista, jogou os papéis da alta e a bolsa no banco de trás. João deixou a cadeira de rodas em cima da grama e entrou no carro. Saíram, rindo, com os vidros abaixados e o vento no rosto.

Capítulo 9

Isabel? — disse Ivy quando pararam no farol. — É disso que eu tenho cara?

João olhou para ela de canto de olho. — Parece um bom nome para uma irmã.

Ivy continuou dirigindo. O bom senso dizia para pegar a estrada 28, pois haveria o trânsito da praia e muitas pessoas por perto, caso ele não fosse tão confiável assim. Em vez disso, porém, sucumbindo ao bom-senso, ou à insanidade, ela escolheu a estrada 9, que passava por fora de Cape Cod e rapidamente aumentaria a distância entre eles e o hospital.

— Então, qual é o seu nome? — ele perguntou.

— Ivy.

— Ivy. Izzy. Não errei tanto assim. Mas Ivy combina mais com nome de namorada.

Ela não respondeu, dizendo a si mesma que ele não estava flertando e, mais importante ainda, que não queria que ele estivesse.

— Para onde vamos, Ivy?

— Ainda não decidi. Parece que o Andy deixou você bem limpinho.

— Você está dizendo que eu parecia um maltrapilho? — perguntou, mas logo mudou o tom e disse, de forma mais suave: — Não sei o que teria feito sem o Andy.

Ivy suspirou e disse: — Sinto-me tão culpada! Espero que ele não se encrenque por nossa causa.

Um longo silêncio se seguiu.

— Bem, não há nada que possamos fazer sobre isso agora — disse, olhando para João. — Seus tênis já tiveram dias melhores.

Ele ergueu um dos pés e puxou a sola de borracha solta, rindo para ela.

— Vou sair na Dennis. Vamos comprar sapatos novos e uma camiseta.

— Vamos? Você sabe furtar? — ele perguntou.

— Eu vou comprar — ela respondeu.

— Não — ele disse rapidamente.

— Sim — ela insistiu.

— Ivy, não. Não quero que você faça mais nada por mim.

Será que ele estava tendo um ataque de orgulho? Ela se perguntou. — O que você vai fazer? — perguntou, dessa vez em voz alta. — Abrir a porta do carro e sair? Estou indo a 60 por hora.

— Setenta — ele a corrigiu.

Ela olhou para o velocímetro e diminuiu a velocidade.

Mais um longo silêncio se seguiu.

Ela sabia do que ele precisava: de sua família, seus amigos e de lembranças, mas tudo o que ela poderia oferecer a ele eram coisas que o dinheiro compraria.

— Você se lembra de alguma coisa? Por exemplo se você mora em Cape Cod ou se está só de passagem?

— Moro aqui.

O momento inicial de hesitação dele o entregou. — Entendi. É por isso que achou que a próxima cidade fosse Providence, e não a capital de Rhode Island.

João inalou profundamente e depois exalou, como se ela estivesse testando a paciência dele. — É assim. Algumas coisas, nomes, uma pessoa, um objeto, até mesmo um cheiro parecem familiares, mas não sei como, nem por quê. Assim que tento focar no que parece familiar, a coisa desaparece.

— Isso deve ser difícil.

Ela ouviu João se remexer no assento e percebeu que ele a estava analisando, por isso manteve o olhar fixo na estrada.

— Foi isso que aconteceu com você? — ele perguntou.

— Sim e não. Não conseguia me lembrar da batida do carro, mas conseguia lembrar quem eu era quando acordei. E sabia o que tinha perdido.

— Que era o quê, exatamente? — ele perguntou.

Ela não respondeu e disse: — Esta é a nossa saída.

Ivy dirigiu por um quilômetro por uma rua de duas mãos delimitada, entre várias árvores e arbustos, depois entrou em um estacionamento que possuía várias lojas em que ela e sua mãe tinham comprado há alguns dias. Entre as lojas Wicker & Wood e Everything Cranberry, havia uma que vendia artigos esportivos. Ivy parou o carro na parte do estacionamento cujo piso era de areia, pois as árvores faziam sombra no carro. Tirou a chave do contato e virou-se para João, dizendo: — Do que você acha que precisa para ir se virando por enquanto?

— Não preciso de nada de ninguém.

— Uma camiseta, um agasalho e *shorts* — ela continuou dizendo. — Meias, cueca... uma toalha. O que mais?

Ele mantinha o olhar fixo na frente do carro, os punhos cerrados em seu colo.

Ivy pegou a bolsa no banco de trás do carro. — Escuta aqui, sei que isso não resolve nenhum dos enormes desafios que você tem pela frente, mas já é um começo.

João reagiu com uma explosão de raiva. — Enormes desafios? Você fala como um maldito psiquiatra!

— Você prefere que eu os chame de problemas não resolvidos?

— Não seria mais honesto?

— Somente se você pensar que não possam ser resolvidos.

— Daqui a pouco você vai começar a me orientar a seguir o programa das 12 etapas[1]. Etapa um: admitir que tem um problema.

---

1 - Programa muito adotado em reuniões de grupos tipo Alcoólicos Anônimos ou Narcóticos Anônimos em que a pessoa deve passar por 12 etapas para se livrar do vício. (N.T.)

— É um bom começo — ela retrucou.

Ele sorriu.

— Não somente admitir. Isso também mostra que, de alguma forma, você sabe um pouco sobre programas de abuso de certas substâncias. É uma pista.

— Uma pista que me diz o quê? — ele perguntou incrédulo. — Que meu pai era alcoólatra? Meu irmão, ou talvez meus amigos, ou será que era minha mãe quem usava drogas? Talvez era eu quem usava! Ou talvez essa pista simplesmente me diga que o "AA" tenha ido dar uma palestra na minha escola e que por acaso eu assisti. Isso não me diz nada!

Ivy lutou para não perder a paciência. — Obviamente, uma peça do quebra-cabeça não tem significado algum. Mas uma vez que as peças vão se encaixando, a imagem se forma. Preste atenção quando uma peça do quebra-cabeça surgir subitamente, não a tire da jogada por raiva.

Ela colocou a chave na bolsa e perguntou. — Você vem comigo?

— Não.

— Não faça "tempestade em copo d'água". Você me paga depois. Enquanto isso, não dá para sair por aí com essa camiseta e esses sapatos — ela esperou trinta segundos e depois saiu do carro.

Ele pôs a cabeça para fora do vidro e disse: — Roupa legal.

Ivy olhou para baixo. O roupão! — Começou a rir e disse: — Ei, é a minha saída de praia.

Usando o tamanho de Will como base, Ivy deu uma olhada nas camisetas coloridas e nos *shorts* de algodão. João estava assustado, pensou; qualquer um que saísse do hospital, um teto, uma cama e comida, e não tivesse nenhum outro lugar para ir, teria muito medo de tudo. Seus ataques de raiva vinham do medo e do orgulho ferido. Se Will estivesse em uma situação como essa, será que agiria dessa forma? Não tinha certeza, mas Tristan teria o mesmo tipo de orgulho.

Ivy acrescentou uma mochila grande a sua lista de compras; calças, óculos de sol e uma segunda toalha. Usou o cartão de débito para pagar, pedindo que lhe dessem o troco em dinheiro. Depois, colocou o dinheiro, o recibo e os outros itens na mochila.

Ao sair da loja, caminhou lentamente até o carro, pensando na situação. Quando olhou para cima, não acreditou no que via. João tinha ido embora. Olhou ao redor rapidamente, pois quem sabe ele teria saído do carro apenas para esticar as pernas, mas ele tinha mesmo desaparecido. Olhou para a sombra verde da mata que delimitava o estacionamento. Por onde ele iria? Nem mesmo ele devia saber.

A camiseta dela estava em cima do banco do carro. Ridículo orgulho estúpido! Tirando uma caneta da bolsa, escreveu o nome "João" na mochila e, com toda a sua força, jogou a sacola no meio das árvores. Depois disso, dirigiu até a Nauset Light Beach e correu pela rebentação até ficar exausta, desejando que a confusão de emoções que sentia pudesse ir embora com o mar.

— Você poderia ao menos ter telefonado — disse Will duas horas mais tarde. — Você devia ter deixado o telefone ligado, ficamos preocupados.

Ele estava trabalhando perto do grande jardim, entre o chalé e a pousada, lixando uma velha prateleira que havia encontrado no meio da pilha de mobília de tia Cindy. Beth estava sentada ali perto em uma espreguiçadeira, com um livro aberto, apoiado no braço da cadeira.

— Eu lhe disse que estava bem — disse Ivy.

— Sua consulta terminou há horas. Pensei que tivesse acontecido algo errado.

Ivy tirou os sapatos, jogando fora a areia de dentro deles. — Fui à praia.

A boca de Will mostrava uma linha reta e os músculos em seus antebraços brilhavam de suor conforme ele lixava com raiva. Beth olhava de Will para Ivy e de Ivy para Will.

— Por que vocês suporiam que tivesse acontecido alguma coisa errada? — Ivy perguntou.

— Dado o seu histórico, por que iríamos supor que estivesse tudo bem?

Ela não respondeu.

— Se Beth, que nem mesmo ficou hospitalizada, tivesse ido a uma consulta de acompanhamento, chegando em casa três horas após o esperado, você não teria ficado preocupada?

— Tá, você venceu — disse Ivy, esperando encerrar a discussão com isso.

Will parou de lixar para olhar para ela, a raiva tinha passado, mas seus profundos olhos castanhos expressavam preocupação. — Não estou tentando vencer. Só estou tentando entender o que está acontecendo.

— Eu também — Ivy respondeu honestamente e foi para o chalé.

Capítulo 10

Mas você gosta de andar de caiaque no rio lá em casa — Ivy disse a Beth no domingo ao meio-dia. Com apenas alguns hóspedes na pousada durante o fim de semana, terminaram as tarefas e estavam retornando ao chalé, andando pelo caminho de pedras no meio do jardim. — Billingsgate Island parece misteriosa demais, surgindo por debaixo da água quando a maré está baixa, e aquele navio afundado! — Beth vinha reclamando de um bloqueio de ideias há uma semana. — Isso vai inspirar você — Ivy acrescentou de forma encorajadora.

— Acho que sim — Beth respondeu sem entusiasmo algum.

— Talvez não seja o caiaque — continuou Ivy após pensar um pouco. — E sim a pessoa com quem você está fazendo essa atividade. Aconteceu alguma coisa desde o sorvete com Chase? Parecia que você estava gostando bastante dele naquele dia.

Beth deu de ombros e disse: — Ele me manda várias mensagens no celular.

— Intensas demais — Ivy concluiu. — E você é boazinha demais para dar um fora nele.

Beth virou-se para Ivy.

— Você tem um coração bom demais — disse Ivy, sorrindo para sua amiga. — Nem mosca você espanta.

— Pode ser que espante essa aí — disse Beth ao entrarem no chalé.

Ivy pegou um livro de mistério, um dos muitos deixados para trás pelos hóspedes da Seabright, e foi para a varanda da pousada. De frente para o mar, ocupando toda a extensão da pousada, terminando em um canto aconchegante, a varanda tinha uma luz especial. Bem cedo, pela manhã, uma corrente de vento trazia os tons de amarelo e laranja do nascer do sol que, gradualmente, se transformavam em azul como as ondas mais distantes do mar. Quando não havia hóspedes por perto, Ivy gostava de se sentar por ali. Estava na cadeira de balanço, os pés apoiados no gradil, admirando o verde da cerca viva no gramado de tia Cindy e o encontro do azul do céu sem nuvens com o mar. A mente de Ivy viajava.

"É uma sensação maravilhosa, Ivy. Você sabe o que é boiar em um lago, tendo ao seu redor somente árvores e o azul do céu acima de você? Você está lá, na água, e o sol batendo em suas mãos e pés."

Ela imaginou a cena tantas vezes, boiando com Tristan no centro de um lago repleto da luz do sol, que o sonho se tornou tão tangível quanto as memórias reais que guardava em relação a Tristan.

Por que pensou que fugir para Cape Cod aumentaria a distância entre ela e suas lembranças? Havia água por todo lado, e em todo lugar em que havia água, era em Tristan que ela pensava.

Ivy suspirou, abriu um livro, e ficou olhando para as palavras sem lê-las. Há uma semana, tinha acordado no hospital certa de que havia beijado Tristan. E de que não tinha sido um sonho consolador como Beth havia sugerido; pelo contrário, só fez com que sentisse mais saudades dele! Deixando dolorosamente bem clara a diferença entre o que ela teve com Tristan e o que sentia por Will. Os hóspedes do fim de semana e a programação de trabalho cheia tinham ajudado Will e ela a aguentar os últimos dias, mas, agora que estavam com tempo para estar juntos, tinha ficado aliviada por ele ter ido até Chatham comprar equipamentos de arte.

— Ei, menina, saia desta vadiagem e venha correr comigo — disse Kelsey ao convidar Ivy, tirando-a de seus pensamentos.

Kelsey tinha trotado pelo perímetro da pousada e agora estava correndo sem sair do lugar. Seus cabelos castanhos estavam presos em um rabo de cavalo que se agitava para lá e para cá.

Ivy sorriu diante do convite, que suspeitava não ser real, e balançou a cabeça negativamente, perguntando: — Quanto você corre?

— Hoje vou fazer 3 quilômetros até à praia, que equivalem a 5 no asfalto, depois vinte minutos de natação pesada e uma hora de bicicleta. Estou pensando em participar de alguma competição de *triatlo* em setembro.

— Você é impressionante — disse Ivy.

— Não fale isso para ela — disse Dhanya ao entrar na varanda carregando uma tigela com *blueberries* frescos que sobraram do café da manhã. — Kelsey sempre acha isso dela mesma.

— Tenho certeza disso — corrigiu Kelsey, que depois ajustou seu iPod e foi em direção à escadaria que dava na praia.

Dhanya sentou-se. — Quer? — perguntou a Ivy, segurando a tigela.

— Obrigada.

Colocando a tigela em uma mesinha no meio delas, Dhanya balançou-se para frente e para trás por um tempo, depois apoiou os pés no gradil como que os analisando.

— Esmalte violeta fica bem em você — disse Ivy.

Dhanya torceu o nariz e disse: — Nunca tive pés bonitos. Nenhuma bailarina tem, judiamos de nossos pés.

— Você dança balé?

— Moderno, *jazz* e até sapateado. Costumava fazer dança indiana, mas minha professora era velha e rígida, ela tinha uma coisa com postura. "Disciplina, Dhanya, disciplina". — disse Dhanya, imitando o sotaque britânico da professora e sorrindo. — Quer vir comigo e Kelsey para Chatham, hoje à noite? Max vai receber um grupo de amigos da faculdade.

— Obrigada, mas vou para Provincetown com Beth e Will hoje à tarde.

Dhanya suspirou e disse: — Você tem tanta sorte! Will é maravilhoso!

— Hmm... — respondeu Ivy que foi logo mudando de assunto. — Me fale de Max.

Dhanya revirou os olhos.

— Kelsey disse que você gosta dele — disse Ivy.

— Kelsey gostaria que eu gostasse dele. Não sei por que ela acha que ele é perfeito para mim, o que me insulta um pouco. Ela vive me dizendo que sou esnobe. Você acha que eu sou?

Ivy ficou surpresa com a pergunta tão direta e disse: — Acho que a maioria de nós é esnobe, de um jeito ou de outro. Simplesmente não enxergamos nossos próprios preconceitos.

— Sim, mas algumas pessoas têm o nariz bem empinado — afirmou Dhanya. — Odeio isso. Principalmente quando empinam para mim.

— Então, como é o Max?

— Rico — disse Dhanya esticando os pés e relaxando os tornozelos. — Preciso parar de enfiar o pé na areia. Estão mais brancos que as minhas pernas... Max é rico e brega, gosta de coisas como barcos-cigarrete e carros esportivos barulhentos. Ele pode até ter muito dinheiro, mas age como um pé-rapado.

Ivy mordeu os lábios para evitar o riso. Antes de sua mãe se casar com Andrew, eles moravam em Norwalk, cidade dos pés-rapados.

— O pai dele tem uma cadeia de lojas de roupas — disse Dhanya.

Ivy inclinou a cabeça e perguntou: — E?

— Parece que Max compra as roupas dele na loja do pai. Quero alguém com o dinheiro de Max e a classe de Will.

— Talvez essa pessoa esteja na festa de Max — respondeu Ivy, tentando esconder sua irritação; ela não precisava de ninguém para lembrá-la de como Will era um cara maravilhoso. — Você namorou alguém de quem gostava muito no ensino médio?

— Não, mas tenho um namorado no Facebook. É claro que não é nada fácil levar um cara que mora na Austrália ao seu baile de formatura.

Depois de um longo silêncio, Dhanya disse: — Obrigada por não ter dito "caia na real, Dhanya". Kelsey diz que eu moro na "ilha da fantasia". Diz que tenho medo de rapazes de verdade.

Ivy sentiu-se meio mal por Dhanya, mas disse: — Kelsey tem sempre algo para falar de você. Acho que ela devia se concentrar mais nela e deixar você em paz para variar.

Dhanya esboçou um sorriso e disse: — É. Acho que sim. Mais *blueberries*?

— Não, obrigada.

Dhanya encheu a mão com as últimas frutinhas, depois pegou a tigela e foi caminhando para o chalé.

Ivy abriu o livro de mistério e leu o primeiro capítulo. Leu duas vezes até conseguir absorver o suficiente para continuar. Finalmente, porém, o mar, o ar salobro e a varanda ensolarada foram ficando mais fracos enquanto Ivy sofria com o herói da história em uma rua escura de Londres.

Meia hora mais tarde, sentiu a mão de alguém recostando em seu ombro.

— Oi, Will. Comprou tudo o que queria?

— Quem é Will?

Ao ouvir a voz de João, Ivy virou o corpo, sem saber se estava se sentindo irritada ou feliz por vê-lo novamente. — Como você soube onde me encontrar?

— Pelos papéis do hospital. Como você sabia que eu voltaria ao estacionamento?

João estava usando o agasalho e a calça que ela havia comprado para ele, mas os sapatos eram os velhos; os novos estavam amarrados à mochila.

— Não sabia. Estava brava demais para voltar à loja para devolver tudo.

Um canto da boca de João esboçou um sorriso. Ele colocou a mochila no chão. Ao ver um colchonete na mochila, Ivy esperava que tivesse sido comprado com o dinheiro que ela deu a ele em vez de ter sido roubado.

— Sente-se — ela disse.

Ele balançou a cabeça negativamente e recostou-se no gradil de frente para ela, dizendo: — Estou meio sujo.

— Onde você está morando?

Ele deu de ombros e disse: — Por aí.

Ivy fechou o livro e disse: — Por aí onde?

— Aqui e ali — foi a resposta evasiva dele.

— Você comeu alguma coisa nos últimos quatro dias?

— Sim — respondeu João. — Mas você nem vai querer saber o quê.

— Claro que vou.

Ele riu. Será que era o rosto com a barba por fazer, o cabelo despenteado, ou a tristeza em seus olhos que deixavam a risada dele *sexy*?

— Sobras — ele disse. — Vários tipos de sobras.

— Hum. Por que você não veio logo para cá?

— Porque você já tinha feito demais.

— Então por que você está aqui agora?

A expressão de João ficou séria. Havia algo de hipnotizante no olhar dele, na forma como ele parecia olhar por dentro da sua alma. Ela não tinha forças para desviar os olhos.

— Porque estou com muita fome — disse, desviando o olhar para ver o mar. — Bela vista.

— Então, o que você quer? Café da manhã, almoço ou jantar?

— O que você tiver.

Ela se levantou e segurou a porta aberta para ele. — Entre.

— Vou esperar aqui fora.

— Não tem ninguém aqui. Pode entrar.

— E se o Will chegar em casa?

Ivy achou ter visto um brilho nos olhos dele, mas disse: — Aí eu apresento você a ele.

— Sinto-me melhor ficando aqui.

Ivy balançou a cabeça e disse: — Tudo bem, mas se eu preparar algo para você, voltar aqui e você tiver desaparecido, vou ficar muito irritada.

— Isso até dá vontade de eu me esconder atrás dos arbustos só para ver você perder a calma — ele disse, sorrindo. Depois, sentou-se no chão da varanda e recostou o corpo no gradil.

Ivy foi para a cozinha e, depois de pensar um pouco, resolveu preparar uma omelete de queijo, pois era algo rico em proteína, depois cortou uma boa fatia do pão caseiro da tia Cindy. Acrescentou uma xícara de frutas sortidas à bandeja e chá, levando-a pelo salão, fazendo uma pausa para olhar para João pela porta de tela. Ele estava de olhos fechados e os ombros apoiados nos balaustres da varanda. Ivy sentiu pena dele. Estava exausto.

— Sinto cheiro de comida — disse, abrindo os olhos.

Ela abriu a porta de tela e ficou pensando em onde colocar a bandeja, optando por colocá-la no chão ao lado dele.

— Obrigado — ele murmurou e começou a comer.

Ivy pôs sua cadeira de lado e sentou-se no chão da varanda não tão perto dele, analisando-o. Ele tinha tirado os sapatos e arregaçado as mangas para comer. Dava para ver ferimentos graves nos pés, tornozelos e no antebraço. A briga em que ele havia se metido devia ter sido bem feia.

— Então, onde você está morando? — Ivy perguntou.

— Já falamos sobre isso — ele respondeu.

Ela concordou com a cabeça, dizendo: — Achei que dessa vez você fosse me dar uma resposta.

— Por aí.

Ivy batucava os dedos no chão da varanda, perguntando a si mesma para onde iria se quisesse dormir na rua e ao mesmo tempo estar perto das pessoas para conseguir ficar com as "sobras" de comida. Como ele não tinha carro, iria para algum lugar próximo. — Nickerson State Park, ela disse em voz alta.

Ele fez cara de interrogação. Abaixando o garfo, pegou a xícara de chá, segurando-a com as duas mãos, como se as estivesse aquecendo. Não era de calor que João precisava, pensou Ivy, e sim de conforto e bondade. Ela não sabia como ajudá-lo; da última vez, seu conforto e bondade tinham feito com que ele fugisse.

— Conseguiu se lembrar de alguma coisa sobre você?

Ele tomou um gole de chá e disse: — Não.

— Ainda há coisas que parecem vagamente familiares?

João franziu a testa e ficou olhando para o chá. Ela imaginou se ele não estaria escolhendo as palavras, decidindo o que dizer a ela e o que guardar para si.

— Na verdade, está ficando pior. São pouquíssimas as coisas que me parecem familiares para que se crie um padrão que eu consiga entender. E, às vezes, tudo me parece contraditório. Tem dias em que um cheiro, como o cheiro da madeira pegando fogo, me traz um bom sentimento; em outro dia, o mesmo cheiro me dá vontade de sair correndo.

— Quando você foi ao parque, você viu alguma placa e a seguiu, ou você acha que já sabia onde estava o parque?

Ele hesitou.

Você pode confiar em mim, Ivy queria dizer. Às vezes, a coisa mais difícil de fazer é esperar até que o outro decida confiar em você.

— Vi em um mapa. Lembro-me das coisas em geral. Tipo, sei que hotéis de estrada têm mapas gratuitos em seus saguões. Quando vi o tamanho do parque no mapa, sabia que conseguiria sobreviver por lá e daria para me esconder se eles viessem atrás de mim.

Ivy chegou mais perto e perguntou: — Quem são eles?

— Não sei.

— Mas é mais de uma pessoa?

— Não sei! — disse, e seus olhos ficaram em um tom de azul bem escuro. — Como é que eu vou saber?

Ivy mordeu os lábios, percebendo que tinha pressionado demais. Os olhos dele, mais cinzas do que azuis no momento, diziam-lhe que ele tinha trancafiado todos os seus pensamentos e medos. Ele passava o dedo pelo enorme corte no maxilar. Ivy sentiu medo por ele, mas sabia que dizer isso faria com que ficasse ainda mais arredio.

— O que posso oferecer a você é o seguinte: um barbeador e um banho.

— Não preciso de nenhum dos dois — ele respondeu rapidamente.

— É bem provável que você se sinta melhor. Se você me deixar lavar e secar a sua roupa suja, ficará bem por mais alguns dias.

Ele sorriu e disse: — Tentando me fazer parecer respeitável?

— Ah, é. Como se fosse possível.

João arqueou a sobrancelha e ela riu.

— Você tem muito a pesquisar. E vai querer que as pessoas se sintam confortáveis ao conversarem com você, não é?

— Você tem razão — ele respondeu, sorrindo. — Serei rápido.

Um pouco depois, Ivy entregou a João um jogo de toalhas pela porta do banheiro e pegou as roupas que ele estava usando e as da mochila. Havia pensado em levá-lo ao quarto de Will por causa dos produtos de barbear e do desodorante, mas algo a conteve e ela achou melhor levá-lo ao chalé.

— Hum. Vou ficar cheirando bem — foi o comentário dele.

— A lavanderia fica na pousada, atrás da cozinha — disse a ele antes de sair com a roupa suja.

Enquanto enchia a máquina de lavar de água, Ivy verificou os bolsos das calças de João para ver se estavam vazios. Achou uma folha de papel arrancada dos papéis da alta dela em que havia o endereço da pousada e informações sobre sua família, dobrada em pequenos quadradinhos. Ivy escreveu o número do seu celular, dobrou o papel novamente e colocou-o em um recipiente em cima da secadora. Havia dinheiro no outro bolso, e ela tirou e colocou no mesmo recipiente. Foi aí que um brilho prateado refletiu em seus olhos, pegou o dinheiro de volta e prendeu a respiração.

Uma moeda brilhante com um anjo estampado estava na palma de sua mão, como se fosse um sinal dos céus.

Capítulo 11

Philip tinha se encontrado com João no hospital, Ivy pensou ao voltar para o chalé, assim como tinha acontecido com ela. Seus instintos estavam certos, tanto ela quanto Philip estavam destinados a encontrar e ajudar João. Ivy sorriu para si mesma; talvez eles fossem os "anjos" do João.

— Preciso de roupa — disse João, do segundo andar do chalé.

Ivy foi até a cozinha e disse do pé da escada: — Suas roupas demoram mais para serem lavadas do que você. — É para isso que serve a toalha de praia. Quando você descer, sirva-se do que quiser para comer.

Ela voltou à sala de estar para montar um enorme quebra-cabeça, um dos muitos que tia Cindy guardava para os dias chuvosos na pousada. Depois de tirar tudo de cima da mesa de centro, sentou-se no sofá e examinou a caixa do quebra-cabeça que mostrava uma pintura de uma cidade idílica de New England e uma ponte. Separando as peças, optou por começar pelas verdes com extremidades planas.

João chegou um pouco depois, mordendo uma maçã. O cabelo ainda estava molhado, em um tom de loiro mais escuro do que o normal. A toalha de praia de Ivy pendurada na cintura dele, como se fosse uma saia de cintura baixa, nem precisava dar margem à imaginação sobre o tórax dele, nem seus ferimentos. Foi preciso usar toda a sua autodisciplina para não ficar encarando.

— Onde eu me sento? — ele perguntou.

— Onde você quiser.

Ele olhou para a caixa do quebra-cabeça e sentou-se em uma poltrona que ficava de frente para a mesa de centro, fazendo um "L" com o sofá. Ivy, após separar uma pequena pilha de peças verdes, deu a caixa para ele, esperando que isso fizesse com que ele não pensasse em outras coisas. Conforme João ia separando as peças e pegando as que possuíam o azul do céu, começou a cantarolar desafinado, o que fez Ivy sorrir.

— Você está rindo de mim? — ele perguntou.

Os olhos dela encontraram o brilho dos dele. — Eu não ousaria... Que música é essa?

— Você não sabe? Nem eu — disse, sorrindo para ela.

Ela tentou cantarolar o que tinha acabado de ouvir, porém afinada, e então disse: — "If I loved you."

João olhou para ela, assustado.

— É o título da música — ela explicou, e cantou as três primeiras frases para ele.

Ele riu e disse: — Ah, é. Agora eu reconheci.

— É do... — Ivy levou a mão à boca como se estivesse se lembrando.

— Do quê?

— *Carousel* — ela respondeu com doçura. Ano passado, ao tentar se comunicar com ela como um anjo, Tristan havia tocado as primeiras notas de uma das músicas de *Carousel*.

— Você gosta de musicais? — perguntou a João, voltando ao momento presente.

— Acho que sim.

Continuaram trabalhando no quebra-cabeça, e Ivy refletia sobre as estranhas ligações entre os acontecimentos.

— Esta peça é das suas — disse João, ficando mais perto dela, subitamente, ao colocar a peça verde encontrada perto das que ela havia separado.

Ivy foi pega de surpresa, não conseguia explicar o sentimento que a dominava no momento. Ficou totalmente consciente da presença de João, sentiu a proximidade dele como se fosse algo que a aquecesse. Surpresa, recuou rapidamente. Achou que, ficando de pé, aumentaria a distância entre eles. Mas sentimentos de confusão e orgulho a mantinham presa no lugar. Tocou seu rosto, com medo de que tivesse enrubescido.

— Achei mais uma — disse, aproximando-se dela novamente.

Uma consciência impressionante da presença dele passava por ela como uma onda, deixando-a atordoada. Que loucura! Ivy juntou as duas peças e acrescentou uma terceira.

— Acho que esta terceira está errada — observou João.

Ela retirou a peça sem jeito e disse: — Eu sabia!

Talvez a rispidez da resposta dela tenha feito com que ele levantasse a cabeça para examiná-la. O rosto dele estava a poucos centímetros de distância do dela. Tentou desviar o olhar, mas não conseguiu. Ele abaixou os olhos e dava para sentir que estava olhando para sua boca. Como se fosse possível beijar com o olhar e...

— Oi, voltei!

Ivy derrubou a caixa com todas as peças. Havia mais ou menos 1.400 peças espalhadas pelo chão. — Ah, oi, Will! — ela respondeu, recolhendo as peças enquanto ele entrava pela porta de tela.

João inclinou-se para pegar a caixa que tinha caído entre ele e Ivy. Will parou no meio do caminho. Ao olhar para baixo, Ivy percebeu o que Will viu de onde estava: costas nuas e largas, ombros musculosos.

— Quem é você? — perguntou Will.

João levantou-se e rapidamente ajeitou a toalha. Will continuou olhando para ele, prestando especial atenção nos machucados. João não desviou o olhar.

— Perguntei quem é você.

— João, é o nome que me dão.

— João saiu do hospital — explicou Ivy. — Ele estava no mesmo andar que eu.

— É mesmo? — perguntou Will de forma sarcástica. E, para João, disse: — Suponho que tenha saído do hospital usando alguma outra coisa que não seja a toalha de Ivy.

João sorriu e disse: — Pois é, saí vestindo a camiseta dela.

Will não achou o comentário engraçado.

— É uma longa história — disse Ivy.

— Tenho tempo para ouvir.

— João não tem onde morar no momento — Ivy explicou para Will. — Ele está passando por um monte de problemas. Falei para ele que poderia tomar um banho. As roupas dele estão sendo lavadas. É o mínimo que posso fazer por ele.

— Sei, dá para ver que ele está cheio de problemas — Will comentou sarcasticamente, colocando suas sacolas no chão. Ivy sentiu-se mal, pois sabia que ele tinha vindo direto ao chalé, animado com o que havia comprado e cheio de vontade de mostrar para ela.

— A questão é a seguinte: não consigo me lembrar do que aconteceu comigo — disse João.

A forma como Will inclinou a cabeça, deixou bem claro que não acreditava em João.

— Will, ele não consegue se lembrar de quem é ou de onde vive — acrescentou Ivy, implorando para que ele entendesse.

— Que conveniente! — comentou Will.

— Não quando chove — brincou João.

— Ouvi falar de você — disse Will. — Kelsey e Dhanya me falaram. O engraçado é que Ivy não mencionou nadinha sobre você.

João olhou de Will para Ivy e depois de novo para Will.

— E parece que ninguém sentiu a sua falta — continuou Will. — Pergunto-me por que nem amigos, nem familiares relataram o desaparecimento de um cara tão legal como você.

João concordou com a cabeça calmamente. — O que o faz pensar que eles devem ter ficado felizes por terem se livrado de mim.

— Não faz tanto tempo assim — disse Ivy rapidamente. — Só desde domingo, uma semana. Talvez seus amigos e familiares pensem que você tenha ido viajar e não estejam esperando notícias suas por enquanto.

Will virou-se para Ivy com um olhar que dizia "você deve estar louca por acreditar nessa história".

João sorriu de forma cínica.

— Como você chegou ao hospital? — Will perguntou a João.

— Umas pessoas que estavam passeando com seus cachorros me encontraram inconsciente e chamaram a ambulância.

— Onde eles o encontraram?

— Lighthouse Beach.

— Em Chatham? Domingo passado em Chatham?

— Na verdade, segunda-feira — corrigiu João. — Foi logo depois da meia-noite.

— Deve ter sido uma noite bem agitada no pronto-socorro.

João franziu a testa e perguntou: — O que você quer dizer?

— Espero que você não tenha encontrado com outro carro em Morris Island.

— Will! — disse Ivy, reconhecendo a acusação por detrás da frase. — Isso é ridículo! Não descobriram até agora o carro que bateu na gente.

— E até agora não descobriram quem é esse cara — respondeu Will. — Nem por que ele não consegue se lembrar de nada, e por que foi encontrado inconsciente bem próximo do lugar em que você bateu o carro — Will andava para lá e para cá, mas então parou, e virou-se para João. — Tenho certeza de que você tem um bom motivo para ter saído do hospital vestindo a camiseta de Ivy. Acho que ficaria pequena em você.

— Ficou.

Ivy contou a história, vendo que, a cada detalhe que dava, Will ficava cada vez mais bravo.

— Deixe-me entender isso direito — disse Will, incrédulo. — Você o ajudou a fugir do hospital antes de ele ser liberado por um médico, provavelmente ainda precisando de auxílio, e antes, é claro, de pagar a conta.

— Segui minha intuição — Ivy respondeu na defensiva. — Acreditei no outro. Talvez você devesse tentar fazer o mesmo de vez em quando!

Ela notou a mágoa no olhar de Will.

João aproximou-se um pouco, chamando a atenção dela.

— Você disse que a lavanderia ficava atrás da cozinha?

— Sim.

Ele concordou com a cabeça e foi até à porta.

— Will. Will. Sinto muito. Entendo como você está chateado. É que... sinto pena dele.

Will engoliu em seco.

— Você se lembra como foi horrível para mim o verão passado, quando não conseguia me lembrar das coisas, quando todo mundo achava que eu tinha tentado me matar e não consegui explicar como fui parar na estação de trem. Você foi tão bom para mim. Você acreditou em mim quando ninguém mais acreditava. Você tomou conta de mim. João não tem ninguém para acreditar ou cuidar dele.

— A diferença é que eu já conhecia você. Eu já sabia que tipo de pessoa você era — Will disse baixinho.

Ivy concordou com a cabeça. — Sim, sim, você tem razão. Admito... agi de forma irracional. — Mas Ivy não disse que, se tivesse de fazer de novo, com certeza faria a mesma coisa.

Will sentou-se no sofá ao lado dela. Colocou os braços ao redor dos ombros de Ivy, trazendo-a mais para perto dele. — Às vezes, Ivy, você me deixa bem assustado.

Capítulo 12

Você acha que o João vai voltar? — Beth perguntou meia hora depois, quando ela e Ivy passeavam no meio das árvores frutíferas pelo caminho que levava ao estacionamento da pousada.

— Não sei — Ivy olhou por cima do ombro para o balanço do chalé onde havia deixado a mochila de João. Depois de se desculpar com Will, foi dar uma olhada na lavanderia. João, o dinheiro, a moeda do anjo e todas as roupas molhadas dele haviam desaparecido. A toalha dela estava na máquina de lavar e a mochila no chalé.

— Ele está no Nickerson State Park, uma longa caminhada daqui — Ivy contou a Beth.

— Poderíamos levar o colchonete dele e a mochila ao centro de visitantes. Talvez tenham uma seção de achados e perdidos.

Ivy balançou a cabeça negativamente e disse: — O João não é o tipo de pessoa que vai procurar por eles lá. Prefere ficar longe do campo de visão.

— Por quê?

— É assim que ele é.

Beth franziu a testa, mas não disse mais nada.

Ivy tinha certeza de que Will dissera a Beth sobre seu encontro com João. Beth contou para Ivy a desculpa de Will para não ir a Provincetown, ele disse que estava ansioso para usar o novo papel aquarelável. Ivy, porém, sabia o quanto Will queria conhecer aquela cidade, um paraíso dos artistas. Apesar do pedido de desculpa, ele ainda estava chateado.

O trajeto de uma hora até a cidade foi, desconfortavelmente, silencioso. Ivy trocou os CDs várias vezes, como se pudesse encontrar a música certa para reconstruir a conexão fácil que sempre teve com Beth, ficando feliz quando finalmente encontraram um lugar para estacionar o carro.

Provincetown era colorida e esquisita, conforme anunciado. Ivy e Beth passearam por várias lojas e galerias que ficavam nas ruas estreitas da cidade. Na superfície, parecia que as coisas estavam voltando ao normal com elas; apontavam pinturas que lhes agradavam, estranhas peças de escultura e bijuterias feitas à mão com um místico vidro marinho. Lá pelas 17h30, Ivy e Beth compraram dois chás gelados e foram até o píer no fim da cidade. As rochas pretas, planas no topo, alongavam-se por cerca de 1,5 quilômetro pelo porto de Provincetown, fazendo um caminho de pedras desde Long Point Beach até a ponta curvilínea de Cape Cod. Bem no meio do caminho, no ponto em que a maioria dos pedestres voltava, elas se sentaram em uma das pedras. Atrás delas, estavam os edifícios baixos de Provincetown e o ponteiro mais alto do Pilgrim Monument. Na frente estavam os faróis de Wood End e Long Point.

Ivy brincava com o canudo e resolveu iniciar a conversa que não podia mais ser evitada. — Acho que o Will falou para você sobre a briga.

Beth olhou para ela de canto de olho e disse: — Sim.

— Fiquei surpresa com Will, com a forma como ele agiu com o João.

— Como você esperava que ele reagisse? — perguntou Beth.

Ivy sentiu a irritação no tom de voz da amiga e respondeu: — Com discernimento. O João está passando por uma situação bem difícil.

Beth não respondeu.

— Ele não sabe quem é ou de onde é. Ele tenta não aparentar, mas está assustado. Você consegue entender isso, não consegue?

Beth concordou com a cabeça depois de algum tempo.

— O João não faz ideia do que aconteceu com ele. Beth, preciso de um favor: você usaria seu dom mediúnico como usou ano passado por mim, tocando nas roupas que o João estava usando quando foi encontrado para ver se você encontra alguma pista do que aconteceu? Você o ajudaria?

— Ajudá-lo? — ela parecia zangada, despeitada, diferente da Beth de sempre.

— Sim, ele. Beth, não aceite como certo, logo de cara, o ponto de vista que o Will tem dos outros.

— Não aceito — disse secamente.

— Desculpe, mas nesse caso, você está cegamente aceitando o que o Will disse. Como você pode julgar o João? Você nem o conhece.

— Como você pode confiar no João? — rebateu Beth. — Você não sabe nem o nome dele.

— Mas conheço o... coração dele — disse Ivy. — Não tenho a sua mediunidade, mas posso sentir a bondade nele.

— Will me contou que você ajudou João a fugir do hospital, fugir sem pagar a conta e, pior ainda, sem com que ele conseguisse entender por que estava lá. Ivy, ele se meteu em uma briga violenta. Will viu os ferimentos e o corte na garganta dele.

Ivy desviou o olhar.

— Pelo que sabemos — continuou Beth — o João pode até ter matado alguém.

— O quê?!

— Ivy, você não faz estas coisas — disse Beth. — Virar as costas para Will...

— Não estou virando as costas para ele!

— ...tomando as dores de um cara que, obviamente, está usando você. Não sei o que está acontecendo, mas você não é a mesma desde o acidente.

Ivy virou-se para a amiga e disse: — Posso dizer o mesmo de você.

Beth passou a mão pela corrente dourada com a ametista, pairando os dedos sobre a pedra. Deixando escapar um longo suspiro, Ivy olhou para o mar que batia forte contra o píer.

— Ivy, ouça-me — disse Beth. Seu tom agora parecia mais implorar do que demonstrar raiva. — Tem alguma coisa bem errada acontecendo. Não consigo espantar uma sensação de que algo terrível vai acontecer.

— Como o quê?

— Não sei — a voz de Beth era trêmula. — Mas você deve tomar cuidado. Não é o momento para se confiar em estranhos.

Ivy pousou gentilmente sua mão sobre a mão da amiga. — Sei o que estou fazendo. Está na hora de você confiar em mim.

Quando chegaram em casa, Ivy viu que a mochila de João e o colchonete haviam sumido. Beth olhou para o balanço vazio apreensiva, espiando pela porta de tela antes de entrar no chalé, como se João estivesse esperando lá dentro.

Ao segui-la para dentro do chalé, Ivy ficou surpresa quando encontrou Will por lá, sentado no sofá, montando o quebra-cabeça. — Oi, Will.

— Oi. Divertiram-se? — ele perguntou.

— Sim. Os trabalhos de arte são maravilhosos — respondeu Ivy, esperando parecer animada e à vontade ao lado dele. — Você iria amar.

Will olhava para ela como se estivesse tentando entender se as coisas estavam "bem" entre eles, e então disse: — Não tem como ver tudo em uma viagem só, então talvez você queira ir mais uma vez comigo. Que tal?

— Claro! — Ivy sentou-se em uma cadeira de frente para a mesa de centro. — Mas dessa vez com dinheiro. Vi uns dez pares de brincos e um monte de braceletes de que gostei. Daria para comprar todos os meus presentes de natal por lá — disse, inclinando-se para frente para encaixar uma peça do quebra-cabeça.

— Beth, sente-se aqui — convidou Will. — Tive uma ideia que quero discutir com vocês duas.

Beth estava na cozinha, mas voltou de forma relutante.

— Estive pensando em domingo que vem — disse Will quando Beth se sentou na ponta do sofá. — No aniversário da morte de Tristan e em como poderíamos homenageá-lo. Fogueiras são permitidas no litoral. E tem uma praia chamada Race Point que parece ideal para isso. O que acham?

Ivy, sabendo como Will estava se esforçando, sentiu as lágrimas emergirem e disse: — É uma ótima ideia.

— Estava pensando em pegar a autorização na terça-feira no centro de visitantes — Will olhou para Ivy cheio de esperanças e disse: — Que tal fazermos isso e jantarmos em Provincetown?

Ela sorriu para ele dizendo: — Perfeito.

Beth levantou-se silenciosamente e voltou para a cozinha.

Will virou-se e perguntou para ela: — Beth, você está bem?

— Sim — ela disse de lá.

Ivy chegou mais perto de Will e disse: — Tem alguma coisa incomodando Beth de verdade.

— Acho que é o aniversário de morte — disse Will, segurando a mão de Ivy. — Ela passou por muita coisa com a gente. Não dá para simplesmente apagar essas lembranças. As coisas vão ficar mais fáceis para todos nós depois do dia 25.

Ivy olhou para a sua mão entrelaçada à de Will e concordou em silêncio, desejando poder acreditar como ele.

Capítulo 13

Mais tarde, na segunda-feira, ao pisar em uma poça de água no estacionamento da pousada, perguntando a si mesma se João tinha encontrado abrigo durante a tempestade da madrugada, Ivy jogou uma sacola com uma toalha de praia e algumas partituras no banco de trás do Beetle.

— Ei, bem na hora!

Ivy pulou ao ouvir a voz de João.

— Com certeza, é bem fácil seguir você — comentou João, saindo do meio dos arbustos do estacionamento da pousada. — No que você estava pensando?

— Em música — mentiu. Para que alimentar o ego dele? — Estou indo treinar.

— Aonde você vai treinar? — perguntou João. As roupas dele estavam úmidas e amassadas e a mochila pendurada no ombro.

— Chatham. Uso o piano da igreja.

Ela deu um clique duplo nas chaves e disse: — A porta está aberta. Para onde você vai? — perguntou quando ele colocou a mochila no banco de trás.

— Lighthouse Beach.

— Lembrou-se de alguma coisa?

— Não, mas espero me lembrar ao ver o lugar.

Ivy pensou em se oferecer para ir com ele, mas tinha começado a vê-lo como um gato, uma criatura que se aproxima dos outros quando está pronto.

João estava usando os sapatos velhos novamente. Quando Ivy saiu do estacionamento, viu os sapatos novos pelo espelho retrovisor, ainda estavam amarrados na mochila. — Eu comprei o número errado?

Ele seguiu o olhar dela e disse: — Sim, mas ficou um enfeite bem legal.

— Podemos trocar por outro que sirva.

— Poderíamos, mas isso seria trabalho demais. E se os quiser de volta, tenho o palpite de que servem no Will — disse, com um sorriso malicioso.

— Se você tivesse ido até a loja comigo — disse bruscamente —, eu não precisaria ter adivinhado que número você calça.

Eles não conversaram novamente até entrarem na estrada 28.

— Então... se você treina durante o verão, deve levar a música bem a sério — ele disse.

— Levo.

João se virou no assento para pegar os livros. Seu braço roçou no dela, o corpo dele estava próximo demais dentro do pouco espaço no interior do carro. Por um momento, Ivy sentiu-se tonta, impressionada pela forte consciência da presença dele. Ele pegou uma partitura e se virou de frente novamente. Ficou feliz por ele estar folheando o livro e não ver que ela havia mordido os lábios, tentando se concentrar na estrada.

— E de que tipo de música você gosta? — ela perguntou. — Quer dizer, além da versão desafinada de "If I loved you".

Ele riu e disse: — Não me lembro, mas a minha banda predileta é a Providence. Não, espera aí, essa é a cidade mais próxima do hospital.

Ela riu com ele.

— Você toca para mim? — ele pediu.

O pedido a surpreendeu. — Meu estilo é música clássica.

— Não se preocupe. Não consigo me lembrar do que gosto — disse, com um sorriso amarelo.

Um pouco depois, ela parou o carro no estacionamento da igreja. — Tenho de pegar a chave na sacristia.

João foi com ela até um pequeno edifício que se conectava com a igreja por uma passagem coberta. As janelas estavam abertas e Ivy ouviu a campainha tocar lá dentro. Então, ouviu o padre John: — Aqui nos fundos!

João, que estava de *jeans*, rapidamente abaixou as mangas do agasalho até os pulsos. O padre estava no jardim, usando um avental de brim, com as mãos enfiadas na terra, a face molhada de suor debaixo do sol forte. Ivy o apresentou a João.

O padre John abriu os braços em um pedido de desculpas e fez um leve aceno de cabeça. — Meu dia de folga — explicou.

— Para quem está de folga, o senhor está trabalhando demais — comentou Ivy.

Dentro de uma cerca de madeira branca havia uma pequena horta. Do lado de fora, havia uma vala parcialmente cavada e sacos de adubo e terra ao lado.

— Estou plantando rosas — disse, indicando com as mãos. — É claro que existem as rugosas, as rosas da praia, aqui em Cape. Sei que estou sendo tolo de cavar buracos na areia e trazer terra preta para cultivar rosas — disse, sorrindo e dando de ombros.

Ivy percebeu que João estava um pouco mais relaxado.

— Você está aqui para tocar — adivinhou o padre, pegando as chaves que estavam presas em seu cinto. — Você poderia trazê-las de volta depois de abrir a porta?

João foi com Ivy até à porta da igreja, depois se ofereceu para devolver as chaves. Quinze minutos mais tarde, quando ele não havia retornado, Ivy suspirou. Partidas súbitas pareciam ser a maneira predileta de adeus de João. Ao terminar os exercícios, tirou-o da cabeça e se concentrou na nova música designada pela professora. Estudou bastante, e seu dedilhado inseguro ficou mais preciso. Ivy sempre se impressionava com a sensação de ver uma música crescer em suas mãos.

Uma hora mais tarde, ao juntar seus materiais, ouviu a porta da igreja se abrir. João foi até ela, parecendo feliz consigo mesmo. — Consegui um emprego.

— Conseguiu?

O rosto dele estava todo suado e havia uma mancha de terra na parte da frente do agasalho. Ele apontou para o jardim, a mão dele estava cheia de terra e areia. — Estava ajudando o padre, só para ter o que fazer. E ele me perguntou se eu gostava desse tipo de trabalho. Ele vai arrumar um emprego para mim com um dos paroquianos que está procurando por ajudantes de verão.

— Que ótimo! Ele não se importou com o fato de você não ter referências?

— Inventei um nome e um número de celular — respondeu João.

— O quê?

— Com um pouco de sorte, o homem não vai se dar ao trabalho de verificar.

— É que... — Ivy não terminou a frase. A ferida no rosto de João ficou menos aparente debaixo do bronzeado e mal dava para notá-la. A brisa da manhã estava forte, e pode ser que o padre não tenha achado estranho o fato do João não ter arregaçado as mangas para trabalhar.

— Você não confia em mim. Will está enchendo a sua cabeça de dúvidas...

Defendendo Will, Ivy disse: — Não o culpe. Posso muito bem duvidar de você, sozinha.

João olhou para ela, depois jogou a cabeça para trás e riu. — Você é tão honesta! — disse, sentando-se em um dos bancos, abrindo os braços no encosto. — Toque algo para mim. Tenho a forte sensação de que não sou um cara de classe e será bem fácil me impressionar.

— A música que você estava cantarolando é de um musical. Tenho uma pilha de canções da Broadway na minha casa em Connecticut — disse, folheando os livros que havia trazido, procurando por algo leve e melódico. — Um rapaz que amei muito gostava de musicais.

— Você não o ama mais?

Ivy olhou nos olhos de João e disse: — Não, ainda amo. Amarei para sempre.

— Ele deu um fora em você — concluiu João.

— Ele morreu.

João tirou os braços do encosto e disse: — Sinto muito... não imaginei... Como? — ele perguntou delicadamente.

— Foi assassinado.

João ficou de pé e disse: — Santo Cristo!

Ivy deu um longo suspiro. — Está rezando? Veio ao lugar certo.

João continuou a olhar para ela, que se ocupou procurando a música adequada. — Esta vai dar certo: Brahms — e começou a tocar.

João circundou o piano, ainda olhando para ela com as mãos no bolso e depois caminhou pelo corredor lateral. Parava a cada vitral como que para examiná-los. Será que estava interpretando as imagens ou apenas olhando para elas? Era o que Ivy se perguntava. Será que estava vendo o presente ou tendo visões do passado? Mais do que nunca, seu passado com Tristan parecia se intrometer em sua vida cotidiana.

Concentre-se no presente, dizia a si mesma, olhando para João. — Concentre-se em alguém que precisa da sua ajuda agora. Talvez a música faria com que a mente dele relaxasse, permitindo que se lembrasse de alguns dos fatos que estava reprimindo. Terminou de tocar Brahms e continuou com a música que conhecia de cor: o primeiro movimento da sonata para piano de Beethoven, número 14. No fim dos acordes, João estava de pé ao lado dela.

— Você está tocando de cor — disse, quando ela terminou a última nota.

Ivy concordou com a cabeça.

— Não consigo me lembrar do meu próprio nome, mas você consegue tocar uma música inteira de cor.

Ivy engoliu seco. Melhor ter a dor em seu coração para sempre, do que perder a lembrança de Tristan. Foi isso que tinha aprendido com João.

— É uma música de que você gosta, ou talvez uma de que ele gostava — opinou João.

Ivy fechou o piano e juntou suas peças musicais. — Sim.

— "Sonata ao luar" — disse João. — A primeira parte da sonata, número 14, de Beethoven.

Ivy virou-se para ele, surpresa.

João deu um passo para trás e disse: — Nossa! Como eu sei disso?

Eles se entreolharam, refletindo o espanto mútuo, e então Ivy sorriu: — E você achava que não tinha classe!

Ivy e João estavam no topo da escada ao lado do farol de Chatham, o mesmo lugar em que ela e Will estiveram oito dias antes. Com o sol da tarde, a longa extensão de areia, com mais de 500 metros, era quente e branca. O mar ia e vinha, curvando-se ao sul até onde o olhar conseguia alcançar, com um tom de azul que Ivy amava.

Pegaram sanduíches e refrigerantes em uma lanchonete perto da igreja e Ivy emprestou a João a toalha de praia que havia trazido. — Você gostaria que eu voltasse daqui a uma hora? É uma longa caminhada até o Nickerson e eu vou para lá para voltar para casa.

João manteve o olhar fixo na praia e, depois de um tempo, disse: — Você pode vir comigo?

Ela teve o cuidado de não ir logo dizendo "é claro, esperava por isso, faço qualquer coisa para ajudar você".

— Claro. Adoro a praia — respondeu e começou a descer a escada.

Ao chegar à areia, ficou de lado para que João indicasse o caminho, pois não queria fazer nada que pudesse atrapalhar a vinda da lembrança. Ela o acompanhou pela praia, tirando os sapatos, como ele, quando chegaram à areia úmida, depois andou ao lado dele na direção sul. Crianças brincavam na beira da água, correndo para lá e para cá com suas pás de plástico. Um pai jogava *frisbee* com seus filhos. Uma senhora de meia-idade, com os cabelos molhados, sorria para si mesma, trazendo sua embarcação para fora da água. Debaixo de um guarda-sol listrado, um garotinho jogava xadrez com um menino mais velho, deixando escapar o grito da vitória. Pensando em como Philip adorava jogar com Tristan, Ivy desviou o olhar e viu que João examinava a dupla.

— Você estava franzindo a testa — disse Ivy quando voltaram a caminhar.

— Achei que... por um momento, conhecesse o garoto, o menorzinho.

Caminharam em silêncio e passaram por uma placa que dizia ser proibido nadar a partir daquele ponto.

— O policial que me interrogou, disse que me encontraram a quase 50 metros além da placa de proibido nadar.

Percorreram essa distância e João parou para examinar a área. — Não foi uma atitude muito esperta — ele comentou secamente. — Nadar à meia-noite em uma área de correntes perigosas.

— Você tem certeza de que estava nadando?

— Os médicos disseram que havia água do mar em mim suficiente para afogar um exército.

— Tá, mas é óbvio pelos seus ferimentos que você esteve em algum tipo de luta. Talvez você tenha sido jogado inconsciente na beira do mar e a maré subiu. Você sabe nadar?

Ele recuava a cada vez que a água se aproximava, como se não estivesse gostando dela em seus pés.

— Não é uma coisa que todo mundo sabe? — ele perguntou.

— Não, não é.

Ele olhou para baixo e disse: — A água... é algo que me incomoda. Não quero entrar. Me assusta — admitiu, indo para o lado mais seco da areia.

— Depois do que aconteceu com você, devia assustar mesmo — respondeu Ivy, indo atrás dele, abrindo a toalha de praia onde ele havia deixado a mochila, a aproximadamente 60 metros acima da maré. — Não tem problema em ter medo, João. Qualquer pessoa que quase tenha se afogado teria medo.

Ele tirou o moletom e a camiseta. A força e a vulnerabilidade que percebeu nele fizeram com que Ivy perdesse o fôlego. As costas e os ombros eram largos e musculosos, mas a pele era pálida, verde-acinzentada, com ferimentos que começavam a clarear.

— Nada disso me parece familiar — disse, analisando as casas distantes, espalhadas pelas dunas.

Ele se sentou ao lado de Ivy na toalha. O desejo de abraçá-lo, de protegê-lo da confusão e do medo que o assombravam era tão forte que teve de desviar o olhar. "Anjo das Águas, ajude-o", ela rezou e perguntou. — Você acredita em anjos?

— Não. Você acredita?

— Sim — ela disse com firmeza. Olhando de soslaio, percebeu o canto da boca de João curvar-se para cima. Lembrou-se de quando Tristan fez a mesma expressão engraçada.

— Acredito que há pessoas que agem como anjos, aparecendo inesperadamente na hora em que você precisa delas. Como o garotinho que me deu isto — enfiou a mão no bolso, tirando a moeda dourada com um anjo estampado. — Ele chegou perto de mim no hospital e começou a conversar comigo como se me conhecesse a vida toda. Era como se conseguisse ver através de mim, entendendo algo que eu mesmo não conseguia.

Ivy pegou a moeda dele e disse: — Aquele garoto... ele é meu irmão.

— Seu irmão — João estreitou os olhos, como se estivesse tentando se lembrar de alguma coisa.

O celular de Ivy tocou e os dois olharam para a bolsa dela. Depois de um minuto, o tom familiar parou, e aí começou novamente.

— Você não vai atender? — perguntou João.

Ivy devolveu a moeda para ele e disse: — Mais tarde, uh, quero molhar os pés — e foi até a rebentação. Sentia que, da mesma forma que não conseguia lutar contra o mar, não conseguia lutar contra essa profunda ligação que sentia com João. Era um alívio estar ali, sentindo o mar tocar suas pernas, deixando a sua pele fria e latejante. Tristan a tinha ensinado a nadar e, depois da morte de Gregory, Ivy tinha feito aulas, tornando-se uma nadadora ainda mais forte. Mesmo assim, seus pés lutavam contra a corrente e seus braços se arrepiavam com os respingos do mar. Sentia medo e atração ao mesmo tempo.

Ficou bastante tempo ali, depois voltou mais para a beira, agachando-se para olhar para as conchas e pedras brilhantes que se avolumavam no lugar. Ao olhar para cima, João estava mais perto dela, olhando-a com tanta atenção que a deixou constrangida. Ela se levantou e ele veio na direção dela ao mesmo tempo, sorrindo.

— Seu cabelo! — ele disse.

Sentindo o vento na sua direção, ergueu as mãos para prender o cabelo, segurando-o. — O que foi?

— Você precisava ver. Está... selvagem.

Ela imaginou que o cabelo estivesse voando com a brisa como algas marinhas douradas. — Ei, por acaso eu rio do seu cabelo? — "não que aja alguma razão para isso", foi o que ela pensou. O cabelo dele tinha um tom dourado que brilhava, com um leve cacheado — como o cabelo que um escultor italiano daria a um herói.

João riu, depois olhou por cima do ombro. O celular dela estava tocando novamente. Deu para ouvir antes da brisa levar o som para longe.

— O mesmo toque — ele observou. — Por alguma razão, parece-me que é o Will.

— É.

— Deixei-o nervoso ontem.

Como Ivy não disse nada, João continuou: — Pensei em dizer a ele que não havia nada com que se preocupar... Ele tem de se preocupar?

— Com o quê?

Ele sorriu. — Bem, quando eu estava na minha grande fuga do hospital, perguntei se deveria dizer que era seu namorado. Você rapidamente me corrigiu. Irmão, foi o que você disse.

Ivy olhou para baixo e virou uma concha com os dedos do pé, como se estivesse fascinada ao ver o outro lado da concha.

— Uma garota que rapidamente diz que você não pode ser o namorado dela lhe dá duas alternativas: ou está muito comprometida com seu namorado ou sentindo-se culpada por não estar.

Ivy agachou-se para pegá-la.

— Qual alternativa está correta? — ele perguntou.

Ela não respondeu. Levantou-se e conseguiu desviar a atenção dele dando-lhe a concha. No entanto, em vez de olhar para a concha, ele tocou em uma mecha de cabelo dela.

O toque suave da mão dele, a forma como abriu a palma da mão, olhando para o cabelo dela, fez com que seu coração acelerasse. O olhar dele escondia-se por trás dos cachos dourados. Então, ele ergueu o olhar e segurou os cabelos dela com as duas mãos, tirando-os da frente do rosto dela. As mãos dele deslizaram por sua nuca com a suavidade de alguém que segura uma flor. Olhando para sua boca, ele inclinou a cabeça, lentamente aproximando o rosto dele de Ivy.

A maré fria os separou.

— Desculpe, eu... me assustei. Foi a água — disse, envergonhado.

— Eu também — depois de um momento de silêncio desconfortável, ela acrescentou: — Estou morrendo de fome. Que tal almoçarmos agora?

Ele concordou. Voltaram para a toalha de praia e comeram em silêncio. Assim que Ivy deu a última mordida no sanduíche, seu telefone tocou novamente. João cantarolou com o tom familiar e sorriu para Ivy. Ela enfiou a mão na bolsa.

— Sabia que mais cedo ou mais tarde você cederia.

— Sabia? — ela perguntou. Deixando o telefone na mochila e pegando um livro e óculos de sol para começar a ler.

João riu, depois esticou o agasalho atrás dela e a camiseta atrás dele. Em cinco minutos estava dormindo. Dava para saber pela respiração lenta e ritmada.

Ela pegou o celular na bolsa. Três ligações e três mensagens de texto de Will. Uma ligação, nenhuma mensagem de Beth. Ivy olhou para a primeira mensagem de Will: "Onde você está?"

"Não posso ir a lugar nenhum sem contar a você?", pensou Ivy, mas logo se sentiu culpada. Abriu a segunda mensagem. Era um pedido de desculpas por algo que disse nas mensagens de voz. Passou para a terceira mensagem, decidindo não ouvir as mensagens de voz. As coisas entre eles já estavam tensas demais.

"Você está bem?" escreveu Will. "B acha que há algo errado. Uma daquelas sensações que ela tem. Me deixando louco."

Ivy suspirou. Não poderia culpar Will por se preocupar quando Beth ficava assim, mas desta vez Beth estava errada.

"Na praia. Chego para jantar". Ivy digitou para Will e Beth, depois desligou o telefone e o jogou dentro da bolsa.

Olhando para João, Ivy esticou a mão e, com seus dedos suaves, tocou o cabelo dele. Deitou-se ao lado dele, querendo, pela primeira vez em um ano, viver em uma outra época que não fosse o momento presente.

Capítulo 14

Eram quase 18 horas quando Ivy deixou João no Nickerson. Ao chegar no estacionamento da Seabright, notou que havia um carro esportivo amarelo estacionado ao lado do jipe de Kelsey e do Audi de Dhanya. Ouvindo vozes na direção do chalé, Ivy verificou suas mensagens antes de seguir o caminho que dava para o lugar. Will tinha escrito que os novos amigos de Kelsey e Dhanya fariam um churrasco: "Que tal dar uma passadinha?", ele acrescentou à mensagem. Sua preocupação havia se transformado em sarcasmo e, de certa forma, assim ficava mais fácil lidar com a situação.

No fim do caminho, viu que o churrasco já havia começado. Uma mesa velha e comprida tinha sido arrastada do depósito da tia Cindy e estava coberta com uma toalha xadrez. Cadeiras extras tinham sido emprestadas da varanda da pousada. Will estava atiçando o carvão na churrasqueira e olhou para ela ao vê-la se aproximar. — Legal você ter vindo — comentou, voltando a se ocupar com a churrasqueira.

Beth colocou tigelas enormes de pães e de batatas *chips* ao longo da mesa e voltou para o chalé como se não a tivesse visto.

— Oi — Ivy a cumprimentou.

Beth olhou por cima do ombro, depois olhou para Will, o que deixou Ivy irritada. Era como se tudo o que importasse era o que Will estava sentindo.

— E aí, menina? Por onde andou? — perguntou Kelsey. Ela e um rapaz de cabelos escuros estavam montando uma rede para jogar peteca.

— Por aí — Ivy respondeu. — Mas parece que cheguei bem na hora.

— Chegou mesmo, mas agora vai ter de ajudar a limpar!

Ivy riu. Pela primeira vez estava feliz por estar perto de uma baladeira que falava bem alto. Seu cumprimento foi muito melhor que a frieza de Will e Beth.

— As bebidas estão na geladeira. Não tem nada de bom — Kelsey disse, apontando para a pousada com a cabeça. Ivy supôs que ela quisesse dizer "nada de bebida alcoólica", não com tia Cindy por perto.

— Já volto — respondeu Ivy ao entrar no chalé.

Dhanya estava na cozinha, fazendo patê; as pulseiras douradas, prateadas e de bronze se agitavam em seu braço. Um rapaz estava sentado na cadeira, observando-a. Devia ser o Max, Ivy pensou ao ver a camisa. Era de seda havaiana e os tons florais de azul e verde-limão contrastavam com o colorido monocrônico dele: pele bronzeada, cabelos castanho-claros e, quando ele se virou para Ivy, deu para ver os olhos castanho-claros, quase âmbar. Ele sorriu, os dentes brancos e perfeitos brilhavam em contraste aos tons de bege.

— Max Moyer — disse, oferecendo-lhe a mão.

— Ivy Lyons — respondeu, indo até ele, achando engraçado o fato de ele ter estendido a mão, mas continuado sentado na cadeira, com o pé casualmente dobrado em cima do joelho. Ao olhar para baixo, Ivy conheceu o estilo de sapato *docksider* — Gregory também usava desse tipo.

— Ouvi falar muito de você — disse Max.

— E o quanto você acha que é verdade? — perguntou Ivy.

Sua resposta rápida o pegou de surpresa. Ela sorriu e, logo em seguida, Max sorriu também, dizendo:

— Tudo! Dhanya não mentiria para mim.

Dhanya olhou por cima do ombro, mas não disse nada.

— Mesmo assim, é melhor você acreditar somente nas coisas

boas — ela disse e virou-se para Dhanya para perguntar: — Ei, o que você está fazendo?

— Requeijão com ervas finas. Me dê sua opinião — disse Dhanya, passando um pouco do patê em uma colher para Ivy experimentar.

— Hmm. Acho que vou me sentar bem perto dessa tigela.

— Posso experimentar? — disse Max, mergulhando uma bolacha de água e sal. — Espetacular! — exclamou e novamente mergulhou a bolacha, já mordida, na tigela de patê. Dhanya olhou para Ivy, balançou a cabeça e separou a parte utilizada por ele.

Tentando não rir, nem de Dhanya nem de Max, Ivy subiu para trocar de roupa.

Quando se reuniu com os demais, Max estava ao lado de Will, observando-o preparar os hambúrgueres na churrasqueira.

— Você não pensa em fazer parte de uma fraternidade? — perguntou a Will com os olhos arregalados de surpresa. — O que você vai fazer o dia todo? Morrer de tédio?

— Pensarei em algo. Como estudar, por exemplo.

— Mas como você vai conhecer novas pessoas? — insistiu Max. — O Facebook é bom, mas as fraternidades... é lá que a mistura social da América acontece.

Will riu. — Nunca as vi dessa forma.

Beth sentou-se próxima deles, estava apenas ouvindo. Não era incomum para Beth ser apenas uma observadora silenciosa em eventos sociais, fazendo anotações mentais, juntando alegremente diálogos e detalhes para suas histórias. Mas era o "alegremente" que estava faltando, Ivy pensou ao analisar o rosto da amiga. Parecia que Beth estava se preparando para uma prova.

— Ninguém quer brincar com a gente? — perguntou Kelsey sobre o jogo de peteca.

— Vocês estão levando o jogo a sério demais para eu participar — respondeu Ivy, sentando-se no balanço para tomar seu refrigerante. Dusty a seguiu, e ela levantou os braços para que o gato pudesse pular em seu colo.

— Para mim também — disse Max. — Com Bryan, só jogos eletrônicos.

O oponente de Kelsey, que era de estatura mediana mas muito bem constituído, apontou para o amigo, arqueou as sobrancelhas e gritou como uma galinha.

Max deu de ombros.

— Então, vamos parar. Estou com sede — disse Bryan para Kelsey, depois foi até a geladeira e perguntou, procurando no meio do gelo. — Não tem Red Bull?

— Só Mountain Dew e Coca — respondeu Dhanya.

Max brindou com Dhanya, depois disse para Bryan: — Esta é uma reunião de classe.

— Então, tinha de ter pelo menos vinho — murmurou Bryan, ao pegar um refrigerante. Sentou-se no balanço ao lado de Ivy, fazendo com que o gato pulasse dali.

— Também gosto de você, gatinho — Bryan disse a Dusty depois virou-se para Ivy e perguntou: — E você é?

Kelsey disse por entre os dentes. — Você sabe quem ela é.

— Ivy — Max disse ao amigo.

— A única amada de Will — acrescentou Kelsey.

— Nossa, isso é muito limitador — respondeu Bryan.

Ivy controlou-se para não revirar os olhos e disse: — Prazer em conhecê-lo.

A constituição física e a forma de se movimentar indicavam que Bryan era um bom atleta. Ele estava usando uma camiseta em que se lia Boston University em seu peito forte e *shorts* com a insígnia da faculdade. Os espessos cabelos negros e os olhos verdes eram impressionantes. Sua pele irlandesa dava-lhe um bronzeado ainda mais vermelho que o de Max.

— Estávamos contando a Bryan e Max sobre o seu acidente — disse Kelsey a Ivy, levando uma cadeira até o balanço. — Sobre como o seu carro deu perda total e tudo mais.

— Jamais perceberia ao olhar para você e para Beth. Como você está? — perguntou Bryan.

— Ótima. A mesma de antes.

Max aproximou-se e disse: — Que tipo de carro tirou você da estrada?

— Provavelmente uma Ferrari — disse Bryan, sarcástico. — É o carro de Maxie. As pessoas que têm Ferraris sempre dirigem como bem entendem na estrada.

— Só dava para ver os faróis — explicou Ivy. — Então, não faço ideia de quem foi.

— Os faróis estavam baixos? — perguntou Max, passando um pedaço de pão já mordido por toda a extensão da tigela de patê.

Ivy olhou para Beth e disse: — Não estávamos vendo os fatos como testemunhas de um acidente, então não prestamos atenção nesses detalhes.

Bryan concordou e recostou a cabeça no braço dela, dizendo: — Deve ter sido uma cena bem assustadora.

Kelsey, olhando para Bryan e Ivy, posicionando os pés bem no meio deles no balanço disse: — Fico imaginando o que aconteceu com aquele cara que estava no hospital com você, Ivy, sabe, aquele com amnésia que era tão amigável.

Do canto do olho, Ivy viu a tensão em Will.

— Rapaz com amnésia tão amigável?

— É, alguém o pescou no meio do mar em Chatham, na mesma noite do acidente de Beth e Ivy.

— É sério? — perguntou Bryan, surpreso. Depois virou-se para Max e disse: — Será que ele estava na sua festa?

— Não — disse Kelsey. — Eu teria me lembrado dele. Era lindo, até mesmo depois de uma surra. Tinha olhos incrivelmente sedutores.

Não durou mais do que meio segundo o brilho nos olhos de Bryan, mas Ivy percebeu. Kelsey tinha sido muito bem-sucedida em apertar o botão verde nele, e em Will. Mas Bryan sabia esconder o ciúme bem melhor que Will, que continuou de cara feia.

— Não sei se concordo — disse Dhanya. — Achei ele bem assustador.

— Amnésia — disse Bryan, ponderando. — Por que eu não pensei nisso? "Não sei, policial, nada disso me parece familiar... Não faço ideia, mamãe... Sério, querida? Não consigo me lembrar de nada!" Que desculpa fantástica!

Will abafou o riso.

Ivy mudou de assunto, perguntando: — Você participa de algum esporte na Boston University?

— Hóquei.

— É mesmo? — perguntou Will, interessado. — O time deles é ótimo.

— Há quanto tempo você joga? — perguntou Ivy.

— Nem consigo me lembrar da primeira vez que coloquei um par de patins e segurei um taco. Acho que eu tinha uns 6 meses.

Kelsey riu. — Uma criança prodígio. Ele sabia andar com seis meses!

Bryan riu para ela e disse: — Não, mas eu sabia andar de patins.

— Seu pai jogava hóquei? — Ivy perguntou.

— Minha mãe. Ela era de uma família de jogadores de hóquei, todos os seus irmãos jogavam. Trabalho para o meu tio. Ele tem um rinque em Harwich. Todos os anos venho para Cape para ajudá-lo com os acampamentos de hóquei de verão. E com isso malho, ficando em forma para a próxima temporada.

— Às 6 horas da manhã. Ele treina todo dia, às 6 da manhã — disse Max. — Mesmo que precise ir direto de uma festa.

— O Max está exagerando — disse Bryan, virando-se para Ivy e dando um sorriso de *bad boy* para ela. — Sempre saio das festas às 4h30, assim posso dormir por uma hora e meia antes de entrar no rinque.

Ivy simplesmente arqueou a sobrancelha e Bryan deu a maior risada. — Então, que tal aparecer para umas aulas? Aulas particulares — acrescentou, arqueando a sobrancelha de volta para ela. — Sou um bom professor.

"Uh-oh", pensou Ivy.

— Acabou o patê — disse Kelsey. — Sua vez de ir buscar, Ivy.

— Ótimo — respondeu, deixando seu lugar vago no balanço, imaginando que era ali que Kelsey sentaria assim que ela saísse.

Botões verdes acionados por toda parte.

Capítulo 15

No primeiro dia de trabalho, tia Cindy deixou bem claro que, na pousada, o dever era ser receptivo com os hóspedes, sempre auxiliando-os; discutir ou dar as costas a outro empregado era proibido. "Superem ou finjam", foi o que ela disse.

Na terça-feira de manhã, Ivy e Will foram designados para o salão de café da manhã; fingiram. Mas quando um bebê jogou a torrada com geleia no chão e os dois abaixaram ao mesmo tempo, batendo as cabeças, Ivy riu.

— Eu pego — disse Will, retirando a meleca do chão.

Antes que Ivy ficasse de pé, o bebê derrubou leite por toda a lateral do cadeirão. Ivy sentiu sua cabeça molhar e, logo em seguida, um líquido escorreu pelas suas costas. Will olhou para o cabelo de Ivy e riu da careta dela. Pegou um guardanapo de pano e começou a enxugar sua cabeça, o que fez com que os dois rissem.

No momento em que as mesas foram limpas e a louça foi para a lavadora, grande parte da tensão da noite anterior tinha desaparecido. — Devemos sair às 14h45 — Will disse a Ivy quando saíram da pousada juntos. — Depois de conseguirmos a autorização, podemos ir até Race Point e jantar em algum lugar em Provincetown.

— Bom — respondeu Ivy.

No chalé, pegou seus materiais de música e foi para a igreja. Estava determinada a praticar regularmente, de forma concentrada, como fazia em Connecticut. No entanto, assim que Ivy se aqueceu no teclado, sua mente continuamente voltava aos momentos do dia anterior: João de pé atrás dela enquanto tocava a sonata. João abaixando a cabeça, aproximando-se dela na beira do mar.

Finalmente, conseguiu se concentrar e trabalhou por mais de uma hora. Quando terminou, tocou as músicas que sabia de cor: "To where you are" e depois "Sonata ao luar". Tocou vários acordes de Beethoven e parou. Estava pensando em João, na forma como ele havia andado pela igreja enquanto ela tocava e em como tinha falado o nome da peça musical. Estava pensando em João enquanto tocava a música de Tristan! Deixou as mãos caírem sobre o colo.

— Por que você parou?

Ivy virou a cabeça para trás e disse: — Não ouvi você entrar.

— Eu sei — João estava sentado no canto do banco, no centro da pequena igreja. — Há dez minutos você estava tocando como uma louca, como se estivesse se apresentando no Lincoln Center.

Lincoln Center? Ele conhecia o lugar, mais uma pista sobre a vida dele, por mais simples que parecesse. — Como foi o seu trabalho? — ela perguntou.

— Você não me disse por que parou — ele insistiu.

Ivy virou o corpo todo no banco do piano e disse: — Não falo tudo para você.

Ele sorriu e ela se livrou da explicação. — O trabalho estava ótimo. Foi muito bom fazer algo físico e não pensar em nada, somente no que eu estava fazendo. O cara, Kip McFarland, tem 20 e poucos anos e possui uma pequena empresa de paisagismo. O salário é baixo, mas já é um começo, e há um benefício.

— Qual?

— Posso dormir com os cortadores de grama no velho celeiro. Há uma janela, sem vidraça, um banheiro e uma ducha do lado de fora. Há também uma pilha de coisas inúteis que tenho de limpar. Quer ver?

— Uma pilha de coisas inúteis? Como posso resistir?

Um pouco mais tarde, seguindo as orientações de João, Ivy dirigiu até Willow Pond, que ficava na estrada 6A, perto da baía do cabo. Um caminho de cascalho levou-os para o meio da mata até uma casa de pedras com cumeeiras e uma varanda ao redor. Com muito trabalho, e várias camadas de tinta, a casa, suas árvores e o lago que as refletia poderiam parecer o cenário de um dos quebra-cabeças de tia Cindy.

— Kip e sua esposa compraram a casa no outono passado e estão reformando — disse João. — Querem montar uma pequena pousada um dia desses, mas precisam de dinheiro, então ele trabalha com carpintaria e paisagismo e ela dá aulas e, no verão, o ajuda em seus negócios.

João indicou que Ivy deveria passar pela lateral do celeiro. A estrutura cinza da madeira chamava atenção rodeada pela mata, como se procurasse abrigo na sombra.

— Lar doce lar — disse. — Se você inclinar bem a cabeça, parece até reta.

Ivy sorriu. — Mal posso esperar para ver lá dentro.

Ao passar do dia ensolarado de junho para dentro da escuridão do lugar, não dava para Ivy ver nada, a princípio, mas dava para sentir o cheiro.

— Eu sei — disse João, percebendo que ela estava sentindo o cheiro. — Você se acostuma.

— Adubo. E fertilizante. Um fertilizante... bem rico.

Conforme seus olhos se acostumaram à falta de luz, viu a montanha de coisas que precisavam ser arrumadas: mobília, livros, abajures, panelas de lagosta e varas de pescar tão velhas que pareciam ser usadas pelos peregrinos.

— Tem luz aqui?

Ele apontou e disse: — Por cima do cortador de grama. Tudo daquele lado é equipamento para o negócio de paisagismo — e pegou uma lamparina. — A esposa de Kip me emprestou isso — quando ele acendeu, o vidro pesado da lanterna iluminou o espaço de forma aconchegante.

— Ah, gostei!

— Achei mesmo que fosse. Ei, olha só o meu colega de quarto, Saco de pulgas.

Um gato branco e preto, magrelo, passou pela porta aberta, se esfregando neles.

— Você está brincando, né?

— Sobre as pulgas ou sobre sermos colegas de quarto?

— As duas coisas.

João abaixou a lanterna e disse: — Bem, estava aqui há vinte minutos e Kip me mostrava o lugar, e o Saco de pulgas aqui ficou se esfregando em mim por dez dos vinte minutos, depois entrou na minha mochila.

— Vou comprar remédio de pulgas para ele.

— Vai ter mais sucesso comprando para mim. Kip disse que perdeu o maior tempo para conseguir prendê-lo para levar a um veterinário. Ele é selvagem demais para ser adotado, mas gosta de aparecer de vez em quando e ficar por aí. Entendo porque somos perfeitos um para o outro — João disse secamente.

— Sim — disse Ivy, examinando a bagunça. — Então, onde exatamente você vai dormir? Poderia ser naquele canto ali, se você não se importar em ficar de ponta-cabeça, pendurado pelos pés.

— Não me importo, mas acho que os morcegos já ocuparam essa vaga. Só vou ter de arrumar um espaço.

— Então, vamos começar — ela disse.

— Agora?

— Será mais fácil mover as coisas com duas pessoas — Ivy disse a ele, olhando para o gato. — Não acho que seu colega de quarto irá mover uma palha.

— Só quando encontrarmos um ninho de ratos.

— Até lá — respondeu Ivy, pegando uma cadeira quebrada e indo até à porta. Levou-a até a caçamba que tinha visto entre a casa e o celeiro.

João a seguiu com um abajur de chão quebrado e um rádio velho. — Se conseguirmos tirar os dois sofás teremos mais espaço para trabalhar.

Um pequeno sofá com as molas soltas foi bem fácil de carregar, mas o outro, um sofá-cama que não parava de abrir, era duas vezes mais pesado. Ivy e João fecharam e empurraram a cama para dentro e começaram a arrastar.

— Você está bem? — perguntou João quando estavam quase na porta.

O suor escorria pelo rosto dela, fazendo pequenas poças nas orelhas e nas bochechas. — Tudo bem. Ei! Olha como o chão está limpo na parte em que empurramos o sofá.

— É aí que vou colocar meu colchonete. Por que você não deixa isso aqui por enquanto? Vou perguntar para Kip se posso usar a caminhonete dele. Se arrastarmos o sofá pelo gramado, vamos arrancar tudo: grama e raízes.

— Concordo.

Acharam vassouras no meio dos equipamentos de Kip e varreram o chão de concreto, começando a arrumar espaço para João, depois começaram a trabalhar na pilha de coisas. Era como uma caça ao tesouro, e começaram a gritar "tesouro!" quando um dos dois demonstrava interesse por algo, como um abajur com o formato de um cavalo empinado, revistas dos anos de 1960, uma plataforma giratória com um disco riscado ainda nela, "Chad e Jeremy", Ivy leu na etiqueta, depois deu de ombros e a levou para fora.

Alcançaram um ritmo de trabalho bem confortável, examinando, compartilhando, andado para lá e para cá até a caçamba. Houve um momento em que Ivy viu João voltar para o depósito com uma pilha de revistas *National geographic* e disse: — Desculpe, acabei de jogá-las fora.

— Sei, mas me parecem interessantes.

Colocou-as ao lado do colchonete, com as revistas dos anos de 1960. Depois de retirar um cortador de grama enferrujado, voltou com uma pilha de livros de ciências velhos. Dessa vez Ivy não falou nada; afinal de contas, era a casa dele.

Carregaram também uma pia bem pesada.

— Olhe para isto — disse, segurando vários livros esportivos com figuras e letras grandes, aparentemente escritos por criança. Colocou-os debaixo do braço e os levou para dentro do celeiro.

Quando, duas horas e muitas revistas depois, ele acrescentou à sua pilha os livros de culinária que Ivy tinha acabado de jogar fora e ela não conseguiu manter o silêncio. — Você notou que não tem uma cozinha?

— Pode ser que eu tenha algum dia.

Ivy riu.

— Hora de dar uma pausa. Vamos nos sentar na sala de estar — ele disse, apontando para o colchonete. — Quer beber alguma coisa? — abriu a mochila e tirou duas garrafas de água.

Ivy tomou um bom gole, depois enxugou o suor do rosto com a manga da camiseta.

— Que bela sombra de poeira em seu rosto! — ele comentou.

Ela tocou o rosto e ele disse: — Do outro lado — depois esticou a mão e limpou o rosto dela com delicadeza.

Por um momento, Ivy não conseguia respirar, não conseguia falar. Estava sob o feitiço do toque dos seus dedos. Mas, então, algo passou por eles: Saco de pulgas. Ivy rapidamente se afastou de João, agindo como se estivesse prestando atenção no gato.

— Agora é que você aparece — murmurou João para o Saco de pulgas e recostou-se em sua mochila. — Está tomando forma. Gostei — disse, examinando as pilhas de livros e revistas ao redor deles. — É aconchegante.

Aconchegante, pensou Ivy. Era assim que descreveria a casa em que Tristan morava com seus pais. Lembrou-se da primeira vez que a viu, quando Tristan adotou sua gata, Ella. A casa da família Carruthers estava cercada de livros e revistas.

— Você está sorrindo — disse João.

Ela voltou ao momento presente e disse: — É confortável, mas não é a minha casa dos sonhos.

— Qual é a sua casa dos sonhos? — perguntou, de curiosidade.

— Uma pequena casa no lago. Sala de estar, cozinha e quarto, uma varanda de frente para o leste, outra para o oeste, e duas lareiras. E a sua?

— Moraria no interior, em uma bela casa na árvore.

Ivy riu.

— Teria vários andares e estaria construída no meio das árvores — João continuou explicando.

— Conheço um lugar assim.

— Haveria uma escada de corda, é claro. E um balanço.

Ivy adorava o balanço pendurado debaixo da casa da árvore de Philip, que ficava bem no limite da propriedade da família. Bem no alto da montanha, acima do rio e dos trilhos dos trens, a vista era espetacular.

— E seria bem no alto da montanha, para que eu pudesse ver todo o campo.

Ivy olhou surpresa para João.

— O que foi? — ele perguntou.

— É exatamente como a casa da árvore do meu irmão — sua mente voltou ao dia em que Philip quase caiu da passarela da casa. Gregory nunca admitiu ter soltado os parafusos, e Ivy, que havia perdido a fé nos anjos, não tinha visto o brilho dourado que Philip viu. Mas ela acreditava agora, assim como Philip, que foi Tristan quem o salvou.

Será que Tristan ainda estava aqui?

"Sempre estarei com você, Ivy". Ouvia as palavras agora com a mesma clareza que ouvira na noite do acidente, quando Tristan a beijou. Ivy conhecia o velho ditado, os olhos são as janelas da alma, e, às vezes, quando olhava para os olhos de João, era como se Tristan...

Não, só poderia ser sua imaginação.

— Ivy, você está tremendo.

Ele tocou as mãos dela com delicadeza e tentou mantê-las firmes em seu colo.

— Me fale — ele disse.

Ivy balançou a cabeça negativamente. João já estava bem confuso quanto a sua própria identidade sem ela lhe dizendo que ele fazia com que sentisse a presença de Tristan.

— Às vezes, você parece tão triste — disse João. — Não sei como ajudá-la.

Ivy tocou no rosto dele com carinho e disse: — Sei como você se sente, às vezes você parece tão perdido.

Capítulo 16

Foi uma série de coincidências, disse Ivy a si mesma ao entrar na Cockle Shell Road. Havia deixado João em sua casa "aconchegante" com uma nova geladeira portátil e sobras do jantar que haviam comprado mais cedo na cidade. João que ela que ficasse um pouco mais, mas ela precisava de tempo para pensar. Não conseguiu desviar o pensamento dos estranhos momentos que ligavam João a Tristan. Se ousasse explicar a Will e Beth no que estava começando a acreditar, sabia que eles diriam que ela estava imaginando, que era só por causa do aniversário de morte de Tristan.

O aniversário de morte! Ah, não. Tinha se esquecido completamente de que pegaria a autorização com Will. Quando ela e João foram comprar comida, nem se importou em olhar no celular e tinha se esquecido do jantar em Provincetown.

O carro de Will não estava no estacionamento da Seabright. Ivy caminhou devagar até o chalé. Estava pensando em como iria se explicar quando ouviu a Toyota estacionar. Ela parou e esperou, nervosa. Quando Will se aproximou da casa, ele apressou o passo, de cabeça baixa.

— Will — disse suavemente.

Ele olhou para ela com raiva, dando para ler em sua expressão todas as emoções que sentia: alívio, descrença e raiva.

— Will, eu sinto tanto! — disse, erguendo as mãos para abraçá-lo, mas parando rapidamente, deixando as mãos caírem; algo, ela não sabia o que, a impedia de tocá-lo. — Sinto muito — repetiu.

Um longo silêncio se seguiu.

— É só isso? — ele perguntou.

— Eu desapontei você.

Ele xingou baixinho.

— Eu sinto muito mesmo. Simplesmente... me esqueci.

— Você também está com amnésia? — ele perguntou sarcasticamente. — É contagioso? — perguntou, fuzilando-a com o olhar. — Era lá que você estava, não é? Com ele, com João.

— Sim.

— Não acredito! Por que vocês, garotas, fazem coisas deste tipo, correm atrás de caras que parecem misteriosos e excitantes, mas não têm nada a oferecer?

— Não estou correndo atrás...

Ele a interrompeu e disse: — Eu amo você, Ivy, mas isso está me matando.

Ivy engoliu em seco.

— Por que você está fazendo isso comigo? — ele gritou com ela.

— Não sei — ela respondeu gritando também.

Viu como ele estava lutando para controlar a raiva e, de alguma forma, preferia que ele continuasse gritando.

— Você está agindo como fez após a morte de Tristan, quando Gregory seduziu você...

— O quê!?

— E você continuou ao lado dele — disse Will. — Você continuou confiando em Gregory mesmo havendo milhões de sinais mostrando que você não deveria.

— Como se você não fosse amigo de Gregory também — Ivy disse de forma desafiadora.

— Percebi quem ele era e fiquei amigo dele o suficiente para ajudar você e Tristan — disse Will, quase perdendo a respiração. — Tristan. Sempre voltamos a ele, não é? Meu Deus, como sou idiota!

Ivy abaixou a cabeça.

— Na noite em que você sofreu o acidente, quando cheguei ao hospital, o paramédico me perguntou se eu era Tristan.

Ivy piscou.

— Ele disse que você estava chamando por mim na ambulância.

Ivy desviou o olhar.

— Então o médico, animado com o seu progresso, veio até mim e disse: "Tenho boas notícias para você, Tristan".

Ivy fechou os olhos de dor. Will manteve-se impassível, embora estivesse sentindo-se muito mal.

— O que eu penso é o seguinte — disse Will, com a voz trêmula. — Não acho que esteja se apaixonando por esse João. Acho que sente pena dele e que precisa dele como uma distração.

Ivy olhou para ele novamente.

Ele continuou a dizer o que pensava. — Com o João, você pode sentir algo por alguém, ajudar alguém e continuar apaixonada por Tristan.

— Will, eu sinto muito...

— Esse lance com o João ajuda você a se separar de mim. A melhor coisa que posso fazer por você é dar o ponto-final que você claramente tanto quer — a raiva era cada vez mais clara em sua voz. — Teria sido bem mais fácil para nós dois se você tivesse tido coragem de me dizer quando soube que estava acabado!

— Mas eu não sabia...

Ele cerrou o punho, batendo na própria palma da mão e disse: — Me dá um tempo!

— Sabia que havia algo errado. Estava tentando entender as coisas — Ivy explicou.

Ele concordou e perguntou: — E por que terminar quando pode ser que você acabe precisando de mim, não é?

— Não! Isso é tão injusto! Jamais usaria você dessa forma.

— Da próxima vez que tentar entender as coisas, tente pensar em como os outros se sentem em vez de pensar só em você — ele se virou e voltou para o estacionamento.

— Aonde você vai, Will?

— Não sei. Não me importo, desde que seja para bem longe de você.

As lágrimas que corriam pelo rosto de Ivy durante a discussão, pararam de cair cinco minutos após a partida de Will. Ela voltou ao estacionamento e ficou imóvel na frente do carro, olhando para a estrada como se Will pudesse voltar. "Está tudo acabado. Acabado", repetia a si mesma com descrença. Viu que havia um envelope no assento da frente do carro. Ao abri-lo, notou que era a autorização para a fogueira. Entrou no carro, fechou a porta e chorou.

Ivy dirigiu por uma hora e meia, primeiro pela estrada 6, precisando dirigir mais rápido e, quando parou de chorar, entrou na pista de mão dupla e cheia de curvas da 6A. Sentiu-se tentada a telefonar para sua mãe, mas ela amava Will. Philip amava Will. Beth amava Will. E Ivy também, mas não o suficiente.

Quando retornou à pousada, estava quase escuro. O carro de Will estava de volta. O de Kelsey não estava lá e não havia ninguém no chalé. Ivy sentou-se na sala de estar, tentando montar o quebra-cabeça; remexendo na caixa, pegou uma peça, depois outra e acabou guardando todas. Agitada, saiu do chalé, olhou para o balanço e foi para a escada dos fundos da pousada, onde achava que seria menos improvável encontrar quem quer que aparecesse primeiro. Se Will não tivesse contado aos demais sobre o fim do namoro, ela teria de fazer isso antes de começar a trabalhar no dia seguinte.

Atrás dela, a porta da cozinha se abriu, fazendo com que a luz amarela se espalhasse pela grama.

— Não se levante — disse tia Cindy, saindo da cozinha para se sentar na escada ao lado de Ivy. — Como você está?

— Estou bem.

— Nada fácil, hein?

Ivy concordou. — Pois é, quem contou a você?

— Beth. Ouça, Ivy. Posso fazer com que você e Will não trabalhem juntos por uma ou duas semanas, mas mesmo assim, ainda estarão morando debaixo do mesmo teto. Vocês não podem brigar na frente dos hóspedes, e não quero ver ninguém tomando partido de ninguém.

Ivy concordou com a cabeça.

— Se você acha que não pode lidar com a situação, tem de me dizer.

— Certo.

Tia Cindy apoiou a mão gentilmente sobre as costas de Ivy. — Sei que parece que a dor é tão forte que jamais vai melhorar. Mas vai, Ivy. Vai mesmo — ela disse antes de entrar na cozinha.

Ivy levantou-se, caminhando lentamente pelo jardim. Depois de toda a sujeira e suor do dia, iria se sentir melhor se tomasse um banho antes de encarar os demais. Foi então que viu Beth sair do celeiro reformado, do quarto de Will, concluiu Ivy, que suspirou profundamente e esperou.

— Como está o Will?

— Como você está? — perguntou Beth ao se aproximar de Ivy.

O tom gentil na voz da amiga desencadeou mais uma inesperada crise de choro.

— Venha. Vamos conversar — disse Beth, dando um empurrãozinho em Ivy em direção ao balanço.

Beth ficou quieta enquanto Ivy chorava.

— Sinto-me tão mal por magoá-lo — disse Ivy, enxugando os olhos.

— Sinto-me mal por vocês dois — respondeu Beth, acrescentando delicadamente. — É duro para Will e para mim entendermos. Quer dizer, depois de tudo que vocês passaram juntos, como você pode não amá-lo?

— Mas eu o amo — insistiu Ivy. — Mas talvez não do jeito que ele queira ser amado.

Beth aproximou-se, olhando nos olhos de Ivy e disse: — Do jeito que ninguém quer ser amado!

— Sim, sim, você está certa! — admitiu Ivy. — Mas, Beth, não dá para sempre escolhermos como amar uma pessoa. O amor não é lógico nem justo. Simplesmente acontece.

Debaixo da fraca luz da lua, Ivy viu o caminho prateado de uma lágrima correndo pelo rosto de Beth.

— Você contou a ele que eu vi Tristan na noite do acidente? — Ivy perguntou.

— Que você achou que viu Tristan... Não. Não, ele já está convencido de que está competindo com um cara morto. Não vou deixar as coisas mais difíceis para ele. Ivy, você realmente esqueceu o seu encontro de hoje?

Ivy concordou com a cabeça e disse: — Estava com João, ajudando-o.

— João!

— Sim, limpando um celeiro para que ele tivesse um lugar decente para morar, e...

— Ivy, você tem de tomar cuidado. Você não faz ideia de quem é o João — aconselhou Beth.

— O que eu sei é mais importante do que o nome do qual ele se esqueceu. Existe uma ligação especial entre mim e o João, algo que só senti uma vez antes, com Tristan — Ivy ignorou a expressão de desaprovação no rosto da amiga. — Beth, o João me contou sobre a sua casa dos sonhos, e era exatamente como a casa da árvore de Philip. O João não conseguia se lembrar de qual tipo de música gostava, mas subitamente reconheceu "Sonata ao luar", a música de Tristan. E, sem ao menos conhecer a melodia, ele cantarolou uma canção do musical *Carousel*. Não se lembra? Tristan tentou se comunicar comigo tocando em meu piano algumas notas de *Carousel*.

Beth balançou a cabeça sem acreditar no que ouvia, mas Ivy continuou: — Acho que Tristan voltou para mim.

— Oh, Ivy. Não! Não pode ser.

— Por que não? — Ivy perguntou, segurando-se na beira do balanço. — Ele falava através do Will ano passado. Por que não poderia falar através do João agora, dando-me sinais de que ainda está comigo? Na noite do acidente, Tristan prometeu...

— O João diz que ouve a voz de outra pessoa em sua cabeça? — perguntou Beth.

— Não, mas...

Beth se inclinou para frente, colocando a mão no pulso de Ivy. — Quando Tristan estava por aqui como anjo, nós o ouvíamos. Quando ele entrava em nossas mentes, sabíamos quem ele era. E nunca nos esquecemos de nossas identidades.

Ivy afastou-se da amiga. Ficaram sentadas em silêncio por um momento, Ivy lutando contra sua raiva por Beth não acreditar como ela. Quando Ivy olhou para trás, Beth estava colocando o colar de ametista. Seus lábios moviam-se silenciosamente, e então ela disse em voz alta: — Algo ruim está andando no meio de nós.

— O quê?

— Desde a sessão espírita, sinto uma presença — disse Beth com a voz trêmula. — É ele. É o Gregory. Não me sinto assim desde que ele era vivo.

Ivy olhou para a amiga, tentando entender o que ela estava dizendo. — Beth, sei que você se assustou com a sessão. Todas nós nos assustamos. Mas por que você pensaria que o Gregory está nos assombrando? Aconteceu mais alguma coisa que a deixou assustada?

A amiga não respondeu.

— Me fale — insistiu Ivy.

— Um sonho — Beth disse esfregando as mãos uma na outra, enterrando os punhos nas palmas. — Já sonhei duas vezes.

— Conte-o para mim.

— Estamos no chalé, você, eu, Dhanya, Kelsey. É o chalé da tia Cindy, mas há muitas janelas, por toda a parte. Alguém está circundando a casa, atirando nas janelas. As balas penetram nos vidros, mas não os ultrapassam. Corremos de um quarto para outro, e o atirador corre pelo lado de fora do chalé, mirando as janelas de todo quarto em que entramos. Ele não para de circundar, mas você diz para a gente que está tudo bem. Estamos seguras e o atirador não consegue penetrar nas janelas. Então, ele abre a porta e entra.

Ivy ajeita-se no balanço e esfrega os braços, que estão pinicando.

— Entendeu? — disse Beth expressando uma raiva repentina. — Você foi descuidada e deixou o atirador entrar, do mesmo jeito que deixou João entrar!

— Beth, nem todo sonho que você tem é mediúnico. Às vezes, você sonha as coisas que as pessoas dizem a você. Will não gosta do João. Ele colocou esses medos em você.

Os olhos de Beth pareciam pegar fogo e ela disse: — Não faz diferença o que o Will diz. Eu vejo o que eu vejo!

— E eu também — respondeu Ivy, levantando-se do balanço.

— Ivy!

Ela virou-se relutante.

A mão de Beth segurava a ametista e ela aconselhou: — Se for o Gregory, você vai precisar de todo o poder dos céus para protegê-la.

Capítulo 17

Sabe, pensei que você fosse a senhorita perfeita — Kelsey disse para Ivy na noite seguinte. — E quando você estava com Will, vocês eram como o Senhor e a Senhora Perfeitos. O casal do ano.

— Sinto decepcioná-la.

— Mas o que exatamente ele disse? — perguntou Kelsey. As duas estavam do lado de fora do chalé, Kelsey agitava uma peteca em cima de uma raquete. Plunk, plunk, plunk.

— O tipo de coisa que geralmente se diz quando se está terminando um namoro — respondeu Ivy.

— Comentários depreciativos e acusações em geral — foi o palpite de Kelsey. — Já fiz isso algumas vezes.

— Então, nem preciso contar a você.

— Ele vai superar — disse Kelsey, virando a cabeça em direção ao celeiro. — Ele tem muita solidariedade.

Beth havia cancelado seu encontro com Chase e Dhanya e decidiu que estava com muita saudade de assistir Tv. Ivy imaginou Will no sofá-cama, com Beth e Dhanya, uma de cada lado, segurando-o pelos cotovelos como se fossem anjos a apoiá-lo.

— Quer jogar? — perguntou Kelsey, oferecendo a Ivy uma raquete.

— Tá.

Aqueceram-se batendo as petecas para lá e para cá.

— Então, você está namorando aquele lindo rapaz misterioso? — perguntou Kelsey.

— Namorando? Não.

— Beth nos disse que era com ele que você estava quando se esqueceu do seu encontro com Will.

Ivy rebateu a peteca, jogando-a para o outro lado da rede. — Eu estava ajudando o João a limpar o lugar em que vai viver.

— A Beth não confia nele.

Ivy não respondeu.

— Por que não? — perguntou Kelsey.

— Não sei — disse Ivy, correndo para pegar a peteca.

Kelsey pareceu mudar de estratégia, servindo fácil para Ivy, talvez pensando que, dessa forma, encorajaria Ivy a falar mais.

— O que você acha do Chase?

— Nem conheço ele — respondeu Ivy, relutante em dividir sua opinião com alguém que, provavelmente, irá passá-la adiante.

Kelsey revirou os olhos. — Bem, cinco minutos com ele foram suficientes para mim. Ele é assustador.

— Assustador? — perguntou Ivy.

— Ele é um maluco controlador — disse Kelsey. — Não há nada que eu mais odeie do que um cara que tenta controlar uma garota.

Ivy duvidava que alguém tivesse alguma vez conseguido controlar Kelsey.

— Beth nos contou sobre Tristan.

Ivy retornou o serviço sem comentar.

— Não fazia ideia! Nunca conheci ninguém cujo namorado foi assassinado!

Ivy bateu com força na peteca.

— Queria ter conhecido Tristan e Gregory — continuou Kelsey. — O verão passado deve ter sido maneiro!

Ivy ficou imóvel, nem saiu do lugar. O que Kelsey achou que foi o verão passado, um *reality show* de sobrevivência? — Mantenha os olhos na peteca — aconselhou Kelsey. — Beth disse que Will esteve ao seu lado o tempo todo quando Tristan morreu.

— É verdade. Ninguém poderia ter sido mais gentil.

— Mas bondade não é paixão — respondeu Kelsey. — E nós gostamos de paixão.

Ivy devolveu o serviço com uma batida apaixonada. — Kelsey, não suponha nada sobre o meu relacionamento com o Will.

— Não teria de supor nada se você me dissesse tudo.

Ivy riu, apesar da situação.

— Beth disse que vocês farão uma fogueira em homenagem a Tristan, em Race Point. Eu e a Dhanya podemos ir também?

— Não sei se ainda vai acontecer.

— Vai, sim — informou Kelsey. — Isso é outra coisa de que não gosto: rapazes que agem de forma leal e compreensiva, não importa o que você faça. Qual é? O que eles estão tentando provar?

Ivy abaixou a raquete e disse: — Para mim chega.

— Mas a gente nem começou a marcar a pontuação — protestou Kelsey.

Ivy concordou e disse: — Hora perfeita para desistir.

Quinze minutos mais tarde, Ivy saiu pela porta dos fundos do chalé e dirigiu até a praia, em Pleasant Bay, onde ela, Will e Philip tinham passado a tarde há uma semana. Sentada na praia em meio ao crepúsculo, não muito longe das árvores que Will havia desenhado, separava suas lembranças, tentando entender por que demorou tanto tempo para perceber que não poderia dar seu coração a Will.

Ao se levantar, seguiu a mesma rota por onde ela e Philip caminharam até chegar a um banco de areia. Como não havia luar, as águas calmas estavam sendo banhadas pela luz das estrelas. Ivy lembrou-se da catedral de estrelas em que Tristan a havia beijado. Sussurrou o nome dele e quase conseguiu ouvir a resposta, "meu amor". Quase. A voz que ouviu em sua cabeça era uma lembrança, ela sabia disso. O que ouviu naquele dia realmente aconteceu. A diferença entre agora e depois fez com que o momento após o acidente fosse mais do que real para ela. Para Ivy, o abraço foi mais real do que os momentos mais tangíveis e ordinários de sua vida.

Mas e se foi mesmo Tristan, e Lacey estivesse certa sobre as consequências? "Queda bem séria", o que isso significava? E a presença maligna que Beth sentia? Será que Gregory poderia retornar?

— Lacey. Lacey Lovitt. Preciso falar com você — chamou Ivy.

Sentou-se na beira da água, observando, esperando. Alguns minutos se passaram. Pela baía, o formato amarelado da lua aparecia sobre uma estreita faixa da praia.

— Você sempre me chama na hora errada!

Ao ver o brilho púrpuro, Ivy levantou-se — Oi, Lacey.

— Então, o que foi desta vez, outra visão bem-aventurada? Ivy dançando com as estrelas?

Ivy viu o anjo rodopiar, a névoa púrpura dançando em frente à lua baixa, e depois disse: — Beth está tendo sonhos.

— Beth, o radar? — "radar" era o termo que Lacey usava para pessoas abertas ao "outro lado", um médium natural.

— Sim — disse Ivy, recontando o sonho de Beth.

— Quando ela sonhou pela primeira vez?

— Não sei bem. Dois domingos atrás, quando fizemos uma sessão espírita...

— Uma sessão espírita! — exclamou Lacey. — O radar devia saber que não se faz isso!

Ivy descreveu o episódio, incluindo a forma estranha como a palheta se moveu em círculos no sentido anti-horário, e como parecia impossível diminuir o movimento.

— E isso aconteceu antes do acidente?

Ivy pensou e disse: — Alguns dias antes.

— Inacreditável. Inacreditável! Você tem cérebro? O radar não tem um pingo de bom-senso, abrindo um portal desse jeito para o outro lado? Você é tão narcisista que pensa que somente bons anjos ficam por aí?

— Eu, não, eu nunca pensei nisso, nunca achei que pudéssemos ter deixado entrar...

— Convidado — corrigiu Lacey. — Sinalizado o lugar, acenado com a mão para chamar um táxi para...

— Algo maligno.

— Algo maligno — confirmou Lacey.

Ivy agachou-se e traçou um círculo no sentido anti-horário na areia, depois mais um, e mais outro. Uma mão com esmalte de cor púrpura pegou seu braço. — Pare com isso!

— É possível que Gregory volte como um demônio? — perguntou Ivy.

— Obviamente você perdeu muitas aulas na escola dominical. Tudo é possível com o Diretor Número Um.

Ivy levantou-se e andou pela beira da água. — Mas por que Gregory retornaria? — perguntou a si mesma.

— Vingança, assassinato, agressão... — sugeriu Lacey.

Era o que Beth estava pensando: se for o Gregory, você vai precisar de todo o poder dos céus para protegê-la.

— Vingança contra mim — disse Ivy. — Mas como ele faria isso?

Lacey respondeu com um suspiro alto e teatral. — Pense, garota. Tenho certeza de que você não é tão ingênua quanto parece. Como Tristan voltou?

— Ele trabalhava através das mentes. Combinava os pensamentos e entrava na mente. Dava para ouvir a voz dele em nossas cabeças — Beth, Will, Philip e, finalmente, eu.

— E depois Eric e Gregory, embora eu o tivesse aconselhado a não entrar naquelas mentes distorcidas.

Ivy sentiu como se uma mão gelada a tivesse tocado. — Gregory pode entrar na mente das pessoas?

— Senhoras e senhores — disse Lacey ao seu público imaginário. — A garota está começando a entender.

— Ele pode entrar na mente de alguém e falar?

— Persuadir — disse Lacey baixinho. — Provocar.

Ivy sentiu calafrios.

— Como você deve se lembrar muito bem, Gregory conseguia torturar e persuadir mesmo quando estava vivo.

— Ele poderia forçar alguém a fazer alguma coisa?

— Quem precisa de força quando as pessoas são tão ingênuas, tão fáceis de serem enganadas e convencidas? Sem mencionar nenhum nome, é claro.

— Como nós podemos combatê-lo?

— Nós? — a névoa púrpura de Lacey começou a se mover ao redor de Ivy. — Nos meus dias de cinema, fiz alguns filmes de horror, mas não vou estrelar neste aí. Você está sozinha nessa.

— Como meus amigos e eu podemos combatê-lo?

— Tenho certeza de que vocês vão pensar em alguma coisa. Ou talvez o radar pense. Só tenho um conselho: cuidado nas pessoas em quem você confia.

Ivy mordeu os lábios.

— Olha só, garota, sinto muito sobre essa bagunça em que você se meteu, mas estou bem ocupada agora. Acho que encontrei minha verdadeira missão, e meu tempo é curto. E tenho de parar com essas aparições relâmpago — o brilho violeta do anjo foi ficando mais fraco. — Diga oi para o Philip.

Lacey tinha quase desaparecido quando Ivy disse: — Mas e se o Tristan voltou para me proteger do Gregory?

Suas palavras tiveram o efeito desejado. — O quê?! — exclamou Lacey.

— Eu vi os sinais. Tristan está comigo, como prometeu que estaria.

Ivy sentiu uma mão forte ancorando-a na beira da baía. — Que ideia ridícula! Se Tristan estivesse por aqui eu o veria.

Lacey tinha razão. Por que ela não o via? Será que Tristan está se escondendo dentro de João? Se escondendo de quem?

— Ivy, se Tristan realmente lhe deu o beijo da vida — disse Lacey — ele está bem encrencado. Não tente entrar em contato com ele. Não o incite ainda mais. Você já fez com que ele fosse assassinado. Não o amaldiçoe para sempre.

Capítulo 18

Lacey sempre foi melodramática, Ivy disse a si mesma, ao sentar-se sozinha no chalé na quinta de manhã.

Beth, Dhanya e Will tinham saído para pegar a sessão das 19h30 no cinema. Desprezado por Dhanya, Max foi com Kelsey e Bryan a uma festa em Harwich. Assim que eles saíram, Ivy pegou o telefone e ouviu a mensagem que havia recebido há uma hora, querendo ouvir a voz de João novamente: "Sou eu. Kip me arrumou um celular. Quer vir aqui hoje à noite?"

Deixando de lado os avisos de Lacey e Beth, Ivy dirigiu até Willow Pond. Quando chegou, viu uma caminhonete estacionada na frente da casa. Uma mulher de cabelos negros, com 20 e poucos anos, estava ao lado dela, segurando a porta aberta para um labrador amarelo, que se acomodou no banco do passageiro. A mulher cumprimentou Ivy e disse que era Julie, a esposa de Kip.

— Espero que não tenha planos especiais para hoje. O João está na varanda dos fundos e parece estar dormindo. Ele e Kip começaram a arrancar troncos de árvores às 6 horas da manhã.

Ivy sorriu e disse: — Só vim dar uma passada.

Ivy andou ao redor da casa e encontrou João dormindo na varanda que ficava de frente para o lago, deitado de lado sobre uma capa de lona, sem camisa, a cabeça descansando em cima do ombro. Na luz da noite, a pele bronzeada e os cabelos claros tinham um tom dourado, lembrando Ivy de uma pintura que tinha visto uma vez de um anjo dormindo. Então, lembrou-se do título da pintura: "O anjo caído após sua batalha com o céu". Virou-se e foi em direção ao lago.

Saco de pulgas estava tirando um cochilo na grama. Ivy sentou-se na beira, não muito longe do gato, olhando para a água, apreciando o reflexo do azul do céu e do verde das árvores no lago. Era a primeira noite quente de verdade na região do Cabo, um aroma de bálsamo adocicado lembrava as noites de verão no interior. Entrou no lago. Depois da água salgada do mar, a água fresca era um alívio para sua pele. Os *shorts* e a regata eram tão leves quanto um traje de banho. Ela nadou e nadou, adorando a solidão e a paz do lugar. Quando estava cansada, virou-se de barriga para cima para boiar.

"É uma sensação maravilhosa, Ivy! Você sabe como é boiar em um lago, com as árvores ao seu redor e somente o céu acima de você?"

"Tristan", ela o chamou em silêncio. "Eu sei, agora eu sei, Tristan."

— Ei, você está dormindo aí? — gritou João.

Ivy ergueu a cabeça, depois deu um impulso e ficou de pé. — Dormindo! — ela gritou de volta. — Era você quem roncava.

— De jeito nenhum! — ele olhou ao redor e apontou para o gato. — Deve ter sido o Saco de pulgas.

— Gatos não roncam tão alto — ela provocou, saindo do lago.

Quando ficou bem perto dela, disse: — Você parecia tão feliz ali.

— E estava mesmo. É uma sensação maravilhosa, boiar em um lago, as árvores ao seu redor, o sol brilhando nas mãos e nos pés.

Talvez tenha sido o reflexo da água. Por um momento os olhos de João pareciam brilhantes, da cor dos olhos azuis de Tristan.

— Entre — convidou Ivy.

João olhou para a água que batia em seus tornozelos e engoliu em seco. — Acho que não sei nadar.

Ivy tentou esconder o desapontamento. Se Tristan fosse João, então João não teria medo de uma água tão calma quanto uma piscina.

"Viva o momento presente", Ivy disse a si mesma. "Ajude-o como Tristan ajudou você".

Tristan tinha acalmado o medo dela sugerindo que "caminhassem" pela piscina da escola. Ela estendeu a mão para João. — Venha. Vamos passear dentro do lago.

Depois de um momento de hesitação, João pegou na mão dela. Caminharam lenta e silenciosamente, movendo-se pelo líquido dourado do lago. Quando a água chegou à cintura de João, Ivy parou, deslizando os dedos pela superfície calma da água, fazendo pequenas ondas no lago.

Ela olhou para João, então pegou um pouco de água com as mãos e jogou nos ombros e no tórax dele. Subindo, molhou o rosto e a testa, lembrando-se de como Tristan fizera com ela. — Você está bem?

João concordou, depois sorriu envergonhado.

— Vamos parar por aqui. Consegue agachar? — ela perguntou. Dobrando as pernas, foi abaixando até a água bater em seu queixo. João fez o mesmo, movendo-se devagar e de forma ritmada, mas quando a água tocou em seu pescoço, ele levantou instintivamente.

— Calma — ela disse, pegando a outra mão dele, segurando-a com firmeza.

Ele se abaixou novamente, até que o rosto ficasse a poucos centímetros de distância do de Ivy.

— Da próxima vez, vou trazer uma boia e darei a você uma aula de verdade. Hoje só vamos nos soltar um pouco na água até você se acostumar. Você consegue colocar o rosto na água?

Ele tentou, mas jogou a cabeça para trás, rapidamente ficando de pé. — Isso é humilhante. Eu, eu não consigo respirar. Minha garganta se fechou e...

— Sintomas de pânico — disse Ivy calmamente. — O que

é uma resposta racional depois do que você passou. Faça o seguinte — disse, deixando as palmas das mãos na superfície da água. — Segure o fôlego e apoie a cabeça nas minhas mãos por um momento.

— Sinto-me um idiota.

— Ninguém está vendo.

João sorriu, mas fez como ela pediu, apoiando o rosto em suas mãos molhadas. Fez o mesmo repetidas vezes, e Ivy ia abaixando um pouco mais as mãos até o rosto ficar totalmente na água.

— Tudo bem — disse João. — Já desci o bastante. Desta vez vou fazer sem você... Você não acha que estou "dando uma de machão", acha? — perguntou, rindo de si mesmo.

Ele fez a manobra várias vezes, depois disse: — Aposto que nunca teve um aluno que progrediu tão rapidamente assim. E agora?

— Ir até o fundo — Ivy percebeu a hesitação e os arrepios nos braços dele. — Mas vamos só ficar por aqui e da próxima vez...

— Vou fazer agora — ele insistiu.

— Você não tem de provar nada a ninguém, João.

— Vou até o fundo — ele disse.

— Quando você estiver pronto...

— Posso dar conta disto! — disse a Ivy, e ela deu um passo para trás. A voz dele ficou mais leve. — Conte para mim, está bem? Veja quanto tempo consigo ficar submerso — disse, rapidamente mergulhando no lago.

Ivy contou em voz alta. — 1.001, 1.002 — então viu que ele estava se debatendo e o puxou para cima com toda a sua força. Ele havia engolido água e estava sufocando. Mais um ataque de pânico.

— Você está bem, você está bem — disse a ele.

Ele se inclinou, segurando o estômago. Não conseguia parar de tremer.

— Você está bem, João.

Ele desviou o rosto dela, como que envergonhado. Ela o abraçou por trás e não o soltou até parar de tremer.

— É... a escuridão — disse. — Ficar na escuridão.

— Deveria ter pensado nisso — ela respondeu. — Quando Tristan me ensinou a nadar, estávamos em uma piscina de águas límpidas.

João virou-se para ela e disse: — Tristan, o cara que morreu... ensinou você a nadar?

— Sim. Ele amava a água.

— E você tinha medo dela — disse João.

— Pavor.

João aproximou-se de Ivy e a trouxe para perto de si, segurando-a bem forte, de uma forma toda desajeitada em seus braços. Dava para sentir o coração dele batendo contra o dela. Ele afundou o rosto nos cabelos dela e sussurrou:

— Jamais vou esquecê-la, Ivy. Se eu me esquecer de você, não haverá nada além de escuridão para mim.

Beth e Dhanya chegaram em casa primeiro que Ivy. Dhanya estava lendo, toda enrolada em uma cadeira da sala de estar, e Beth no sofá, curvada sobre um quebra-cabeça.

— Oi — disse Ivy. — Como foi o filme?

— Bom — respondeu Dhanya.

Beth não respondeu, e as duas olharam para Ivy, percebendo as roupas úmidas e o cabelo despenteado, não deixando escapar nenhum detalhe.

— Estava com ele, não estava? — disse Beth, fazendo parecer mais uma acusação do que uma pergunta.

— Estava com João. Por favor, diga o nome dele.

— Mas esse não é o nome dele — apontou Beth.

— É o nome dele por enquanto! — respondeu Ivy indo para a cozinha pegar alguns biscoitos, subindo em seguida para o andar superior.

Naquela noite, Ivy ficou se remexendo na cama. Bem depois que todas já tinham ido dormir, ela chutou as cobertas e se sentou na cama. Eram 2h43, de acordo com o despertador.

Ela e Beth tinham prendido a cortina da janela no meio das camas, mas não havia brisa alguma no calor, incomum, daquela noite. A lua, quase cheia, deixava uma marca bonita sobre a cama de Beth. Os lençóis estavam no chão, o rosto molhado de suor, mas ela dormia pesado.

Não há nada pior do que estar ao lado dos outros mas se sentir isolada, pensou Ivy. Ela sentou-se com os pés para fora da cama, pensando se deveria pegar uma toalha de praia para se sentar lá fora.

Cht! Cht!

Ivy virou a cabeça para esquerda. Algo havia batido na janela, no vidro depois da tela.

Ela ficou parada, olhando pela janela. Depois, lembrando-se do sonho de Beth, virou para ela. Os olhos de Beth moviam-se por debaixo das pálpebras e sua respiração estava rápida: ela estava sonhando.

Ivy chegou mais perto da janela. Não viu ninguém perto das árvores atrás da casa, mas o brilho da lua fazia muita sombra; seria fácil para alguém se esconder por ali.

Raramente as portas do chalé eram fechadas. Sentindo-se levemente desconfortável, Ivy vestiu o *shorts* e foi para a escada.

Cht! Cht!

Ela se virou rapidamente. Beth sentou-se na cama ao mesmo tempo. — Ivy?

— Sim.

— Ivy? — Beth chamou novamente, parecendo assustada.

Ivy voltou correndo e disse: — Estou aqui.

— É ele. Ele está atirando na janela.

Ivy colocou a mão sobre o ombro de Beth e disse: — Não, não é — sentou-se na cama e explicou. — Provavelmente deve ser algo no meio das árvores, sementes ou qualquer coisa assim.

— É ele! — insistiu Beth, e vendo que Ivy estava de *shorts* e sapato disse: — Não vá lá fora!

— Está tudo bem. Só vou lá embaixo ver umas coisas.

— Não vá! É ele! — os olhos de Beth estavam arregalados de medo.

Ivy colocou o braço nos ombros da amiga e disse: — Você estava sonhando, Beth.

— As portas estão trancadas?

— É isso que vou ver agora — respondeu Ivy, levantando-se.

— Não, Ivy! Ele vai fazer qualquer coisa para pegá-la!

— Beth, me escute. Você está confundindo as coisas com o seu sonho.

Cht! Cht!

As duas foram até a janela.

— O que é isto? — perguntou Dhanya, levantando-se da cama. Veio nas pontas dos pés até ficar perto delas.

— Não se aproxime da janela — disse Beth. — Ele vai ver você.

— Quem? — perguntou Dhanya.

— Dhanya! — gritou uma voz masculina.

— Max! — Dhanya e Ivy disseram ao mesmo tempo.

— Você ouviu? É só o Max — Ivy disse a Beth, sentindo-se ao mesmo tempo aliviada e irritada.

Dhanya franziu a testa. — Por que ele está aqui? Não quero falar com ele.

— Dhanya!

Ivy foi até a janela, levantou a tela e se inclinou para frente.

— Vá para casa, Max.

Ele saiu das sombras e disse: — Ivy, como vai? — parecia feliz ao vê-la, e estava bêbado.

— Já é tarde. Vá para casa.

— Quero falar com a Dhanya.

— Ela não quer falar com você. Não no meio da noite.

— Dhanya!

— Shhh! — Ivy tirou o corpo da janela e disse: — Ele vai acordar os hóspedes.

— Fala para esse coiote parar de uivar — disse Kelsey da sua cama. — Preciso do meu sono de beleza!

— Não vou falar com ele — Dhanya disse a Ivy. — Nem decidi ainda se gosto dele — disse, caminhando de volta para a cama.

— Sinto muito, mas se Max acordar os hóspedes ou a tia Cindy, estaremos todas encrencadas. Você vai lá fora comigo, vamos falar com ele e mandá-lo embora — disse Ivy.

— Vai, menina! — gritou Kelsey, virando-se para o outro lado na cama.

Beth balançou a cabeça, segurando o travesseiro contra o peito, como se aquilo fosse protegê-la.

Dhanya colocou o roupão e os sapatos relutante, depois seguiu Ivy até o andar de baixo.

Quando Max viu as duas indo na direção dele, levantou-se e, mais rápido ainda, escondeu-se atrás de uma árvore. Ivy suspirou. A última coisa que queria fazer era ter de dirigir até Morris Island no meio da noite, mas não podia deixá-lo dirigir se não estava sóbrio.

— Dhanya! Você está partindo meu coração!

Dhanya revirou os olhos.

— Como você chegou aqui? — Ivy perguntou.

Ele apontou completamente fora de foco para o estacionamento da pousada e disse: — Bryne.

Ivy teve dificuldade para entender e perguntou: — Bryan? Ele está aqui? Cadê a chave do seu carro?

— Bryne — Max repetiu.

Ivy virou-se para Dhanya e disse: — Converse com ele e não aumentem o tom de voz. Vou dar uma olhada no estacionamento.

A Ferrari amarela estava no meio do estacionamento. Bryan no banco do motorista, ouvindo música em iPod de olhos fechados.

Ivy chamou por ele várias vezes e então deu uma chacoalhada de leve no rapaz. Assustado por ser acordado subitamente, virou o corpo todo para ela, de punhos cerrados.

— Ei, ei, sou eu.

— Ivy! — disse, surpreso, abaixando o braço.

— Você andou bebendo?

Ele pegou o celular para ver as horas e disse: — Não nas últimas duas horas — ele parecia equilibrado.

— Você se importaria de sair do carro? — ela perguntou.

Ele riu e perguntou: — Quer que eu faça um quatro, policial?

— Sim.

Ele fez, rindo.

— Ouça, seu amigo não está marcando ponto algum com a Dhanya. Leve o Max para casa... em silêncio.

Bryan concordou com a cabeça e disse: — Entendido. Peço desculpas.

Ele tirou Max de lá, que, depois de simplesmente ter conversado com a Dhanya, parecia um feliz acampante.

Ivy e Dhanya entraram no chalé exaustas, e depois de pensar um pouco, Ivy decidiu trancar tanto a porta da frente quanto a de trás. Quando foi para cama, Beth estava deitada com os olhos fechados e os lençóis esticados até o queixo. Em cima do travesseiro, bem perto do rosto dela, a ametista brilhava sob a luz da lua.

— Boa noite — disse Ivy com carinho. — Está tudo bem agora.

— Não se deixe enganar — respondeu Beth. — Ele está fazendo planos. Ele quer vingança.

Capítulo 19

Na sexta-feira de manhã, Beth e Ivy foram designadas para tirar as ervas daninhas e as plantas mortas. Enquanto Ivy tentava arrancar raízes teimosas, Beth silenciosamente cuidava das flores mortas — corta, corta, corta. Ela tinha falado bem pouco desde que o despertador tocou, respondendo de forma monossilábica e rápida toda conversa que Ivy tentava iniciar.

— Então você não se lembra de Max ter aparecido, gritando por Dhanya?

— Não.

— Você se lembra de ter sonhado?

— Não.

— Beth, você está brava comigo?

Beth arrancou uma planta que ainda estava florescendo e disse: — Não.

Ivy desistiu.

Às 15 horas, tia Cindy agradeceu a todos por um ótimo dia de trabalho e mandou todo mundo cuidar das suas vidas. Beth, Dhanya e Will foram tomar sol no jardim. As garotas tiravam uma soneca enquanto Will terminava uns desenhos para o livro *O anjo e a gata andarilha*. Kelsey, decidindo que estava ficando disponível demais para Bryan, foi para Nauset Beach, mirando uma área entre a longa faixa de frente para o mar conhecida por atrair surfistas.

Ivy voltou para Pleasant Bay e rascunhou uma carta à mão para sua mãe. Maggie não gostava de *e-mail*. Ao descrever Provincetown e recontar os momentos engraçados com os hóspedes da pousada, Ivy omitiu tudo o que realmente tinha importância.

Terminando a carta, refletiu se deveria mandar uma mensagem de texto para a amiga Suzanne. Sabia que a viagem de Suzanne para a Europa era sua forma de aumentar a distância entre o verão passado e o atual. Quando Suzanne contou a Ivy e a Beth que não teriam notícias dela por um tempo, Ivy entendeu. Suzanne tinha ficado totalmente apaixonada por Gregory, e aproveitou essa paixão o máximo que pôde. Ao atrair Ivy para sua teia, ele continuamente tentava provocar ciúme em Suzanne. No fim, ela, assim como Ivy, perdeu alguém a quem realmente amava.

Ivy pegou seu iPhone e digitou: "Saudades. Não precisa responder. Só pensei em você. Bjs. Ivy". Depois deixou uma mensagem de voz no celular de João: "Oi, espero que esteja tendo um bom dia arrancando árvores. Diga oi para o Saco de pulgas". Finalmente deitou-se e dormiu.

Chegou em casa um pouco antes das 18 horas. Dhanya estava de pé em frente ao longo espelho que ficava preso à porta do banheiro, virando-se para lá e para cá, examinando-se em uma saia curta e justa. — Acho melhor usar biquíni em vez disso — disse, aproximando-se, olhando para si mesma de ponta-cabeça no espelho.

— Bem, se você estiver planejando fazer isso várias vezes, então sim — respondeu Ivy, sorrindo.

Beth saiu do banheiro penteando os cabelos molhados. O cheiro do perfume de ervas era bem forte.

— Chase telefonou — disse Dhanya.

Beth franziu a testa e disse: — Ele está me ligando no celular o dia todo.

— Bem, agora ele está ligando no meu. Você deu o meu número para ele?

— Não, está marcado no meu telefone e emprestei a ele para fazer uma ligação, mas... — Beth parou de falar.

— De qualquer forma — disse Dhanya —, falei que você ligaria para ele quando saísse do banho.

— Você não deveria ter dito isso.

— Mas achei que você fosse convidá-lo para o passeio de hoje — disse Dhanya, virando-se para Ivy. — O tio de Bryan deu ingressos para o rinque de patinação e estamos todos convidados. Quer vir?

— Patinar no gelo? — seria estranho sair com Will, mas, mais cedo ou mais tarde, teriam de se acostumar a ficar um ao lado do outro. — Tá.

— Maneiro! — disse Dhanya, virando-se para Beth. — Quanto mais gente vier, mais divertido será.

— Talvez — disse Beth, voltando ao banheiro para secar os cabelos.

Um pouco mais tarde, Kelsey voltou da terra do surfe, tomou banho e colocou *shorts* de ciclista bem justos e um *top* de ginástica que mais parecia um sutiã do que uma roupa esportiva.

Chase recebeu o convite após ligar pela segunda vez para Dhanya, e o humor de Beth mudou de irritação óbvia para resignação silenciosa. Quando se reuniram na frente do chalé, ela ficou ao lado de Will. Bryan, amigável como sempre, percebeu a roupa *sexy* de Kelsey, mas não ignorou as outras garotas. Contando piadas, levou todos aos seus carros como se fosse um animado monitor de acampamento.

Vinte minutos mais tarde, todos descobriram que o tio de Bryan, Pat, o proprietário do rinque, tinha o mesmo jeito extrovertido.

— Hoje está tocando a seleção de músicas românticas — disse a todos enquanto estavam no balcão alugando patins. — Não se preocupem, senhoritas, não escolhi as músicas. E o Bryan também não.

Todos, exceto Bryan e Max, alugaram patins. Max tinha trocado a camisa havaiana por uma de estilo universitário e *jeans*. Ivy ficou se perguntando se ele tinha ficado sabendo que Dhanya o achava "brega". Talvez, depois de levá-lo para casa ontem à noite, Bryan tenha dado uns conselhos a ele.

— Não sabia que você gostava de patinar — disse Kelsey para Max enquanto amarravam os patins que pareciam novos e caros.

— Ele não gosta — Bryan respondeu para o amigo. — Maxie tem todos os tipos de brinquedos em suas várias residências.

Chase, testando seus patins alugados, sentiu-se obrigado a explicar que tinha três tipos diferentes de patins em sua casa em Jackson Hole. Depois, virou-se para Beth e disse: — Deixe-me ajudá-la a amarrar, Elizabeth.

— Pode deixar — respondeu Beth, mas, quando acabou, deixou que ele pegasse em sua mão e a levasse até o gelo. Bryan e Kelsey foram logo atrás, passando rapidamente pelos demais e por todos os outros patinadores com suas passadas longas e atléticas.

Max, Dhanya, Ivy e Will ficaram parados, desajeitados na proteção de borracha. Então Will segurou as mãos de Dhanya, deixando Max e Ivy sentindo-se como se fossem os últimos a serem escolhidos para o jogo de queimada do jardim de infância.

— Você quer um parceiro? — perguntou Max.

— Mais tarde, sim. Mas agora prefiro ir sozinha primeiro — Ivy respondeu educadamente.

Ela deu várias voltas no rinque, sendo ultrapassada por Kelsey e Bryan, mas ficando atrás dos casais, curtindo a sensação suave do gelo em seus pés e pensando que, se não tivesse sido o tio de Bryan, poderia muito bem ter sido sua própria mãe a escolher a seleção de músicas românticas. Pois é, qualquer coisa que tenha um ritmo bom.

Quando Chase parou para arrumar o cadarço, Ivy foi até Beth e pegou no braço dela. — Estou roubando a sua parceira, Chase.

No verão passado, Beth e Ivy haviam patinado juntas todo fim de semana e as duas curtiram muito o exercício. Patinando juntas, combinando as passadas e encontrando um ritmo confortável, geralmente era fácil para ela, mas hoje não. Beth patinava toda dura.

— Recebi uma mensagem de Philip — disse Ivy, esperando que a afeição de Beth por ele servisse de ponte entre elas.

— Eu também.

— Acho que ele sente falta das duas "irmãs mais velhas".

Beth concordou com a cabeça.

— Ele está bem ansioso pela nova aventura de *O anjo e a gata andarilha*.

— Will vai mandar para ele na segunda-feira.

— Como vai, Will? — perguntou Ivy, sentindo em seguida que Beth queria se soltar do braço dela. — Não se afaste de mim, Beth. Amo Will da mesma forma que amo você, você sabe disso. Por favor, não se afaste de mim.

Patinaram até a curva do rinque, Beth olhando o tempo todo para frente.

— Ele está bem — Beth disse finalmente.

— E você? — perguntou Ivy.

— Bem.

Ivy sentiu-se completamente afastada com as respostas da amiga. Esforçando-se para ter paciência, respirou fundo e exalou bem devagar, observando Max tentar se aproximar de Will e Dhanya. Eles conversaram um pouco e depois Max se afastou de Dhanya.

Kelsey e Bryan vieram por trás e ultrapassaram todo mundo. — Acho que podemos chamar isso de super patinação — comentou Ivy.

— Eu chamaria de competição — respondeu Beth. — Eles competem como se estivessem seduzindo um ao outro.

— Competem como? — perguntou Ivy, feliz por finalmente começarem uma conversa.

— Quem come mais, quem fica mais tempo na balada, quem dirige mais rápido...

— Sério? Quem lhe disse isso?

— Dhanya. Na praia, competem para ver quem dá a cantada mais escandalosa, nos outros, digo.

— O velho jogo de Suzanne e Gregory — comentou Ivy.

Era o esporte favorito deles, que jogavam como se estivessem nas Olimpíadas, uma competição interminável para ver quem conseguia flertar e frustrar o outro a ponto de fazê-lo explodir.

Beth e Ivy deram mais uma volta e Chase entrou no meio delas.

— Sabe, Elizabeth, dar uma de difícil nem sempre faz com que o cara queira você.

— Não estava dando uma de difícil nem tentando fazer você me querer — respondeu Beth.

Chase riu, como se ela tivesse tido a intenção de fazer uma piada. — Acho estranho: garotas dançando com garotas, garotas patinando com garotas, esperando que os rapazes prestem atenção nelas.

— Às vezes — disse Ivy —, elas estão apenas patinando e dançando.

Ele virou-se para ela e seus olhos acinzentados brilhavam. — Raramente — disse.

Segurou a mão de Beth e Ivy ficou olhando os dois se afastarem; Beth mantinha a cabeça levemente virada para o outro lado. Ela não estava se conectando. "Nem com Chase nem comigo", Ivy pensou. A diferença era que Chase era tão egoísta que nem percebia.

Ivy saiu do gelo, desejando ter vindo com seu próprio carro para poder voltar para casa. O rinque tinha uma lanchonete com mesas de madeira e cadeiras pintadas de laranja bem vivo e azul. Nas paredes, havia fotos de times de hóquei. Ao sentar-se, Ivy pegou o telefone para ver se João havia telefonado.

— Cansada? — Dhanya perguntou.

Desapontada por não haver nenhum recado, Ivy olhou para Dhanya e Max, que a seguiu para fora do rinque. — Só dando um tempo.

— Que tal um sorvete? — sugeriu Max. — Eu pago.

Ivy não estava com vontade, mas aceitou, desejando que ele marcasse os pontos que conseguisse com Dhanya como o rapaz que "pensa" nos outros.

Enquanto pediam, Chase, Beth e Will uniram-se a eles, então juntaram duas mesas e arrumaram as cadeiras ao redor delas. Bryan e Kelsey foram os últimos a sair do rinque, encenando uma conversa bem dramática, talvez uma discussão, no meio do rinque, deixando os dois com as bochechas ardendo e os olhos brilhando. "Igual a Suzanne e Gregory", pensou Ivy, quando se aproximaram da lanchonete. Disse a si mesma que era simplesmente assim que alguns rapazes e garotas participavam do jogo do romance, mas, às vezes, sentia que jamais conseguiria se livrar das lembranças do verão passado.

O grupo de oito pessoas sentou-se com seus sorvetes quando o telefone de Ivy tocou.

Will virou-se para Ivy como se estivesse surpreso. É claro que ele conhecia os toques dos amigos dela, da mãe, de Andrew e de Philip, e ela sabia os dos amigos dele e do pai dele. Era mais um exemplo de como suas vidas tinham se misturado uma à outra e por isso ele sabia que aquele toque era diferente. Mesmo assim,

Ivy ficou irritada com a forma como ele olhou para ela, como se não fosse para ninguém ligar para ela a menos que a pessoa fosse pré-aprovada.

Distanciando-se um pouco dos outros, ela pôs o fone no ouvido.

— Alô?

— Oi. Sou eu.

— Oi.

— Seja lá quem for — disse João rapidamente.

Ivy riu e se sentou em uma cadeira em outra mesa. — Como foi o trabalho?

— Pesado. E divertido. Adivinhe, tenho carro!

— Tem? — disse Ivy lambendo o sorvete que derretia.

— Kip me emprestou uma velha motocicleta. Então, o que você está fazendo? Esse barulho ao fundo não parece música clássica.

— Não, é música de discoteca, acho que combina com patinação — Ivy contou sobre o rinque e os ingressos gratuitos. — Quer vir aqui?

Houve um momento de silêncio e ele perguntou: — Quem está com você?

— Algumas pessoas que você não conhece — disse Ivy mastigando a casquinha do sorvete. — Beth, Max, Bryan e Chase. E Kelsey e Dhanya, que você deve se lembrar do solário do hospital. E Will. Adoraria ver você, João.

— Não acho que Will adoraria.

Ivy olhou por cima do ombro. Will e Beth estavam olhando para ela, e Ivy supôs que já sabiam com quem ela estava falando. Ela conseguiria ignorar os olhares e a hostilidade, mas não seria justo sujeitar João a isso.

— Então amanhã — disse.

Conversaram mais um minuto antes de ela voltar para a mesa.

— Já sei com quem você estava falando — provocou Kelsey.

Ivy enfiou a ponta do sorvete na boca.

— O rapaz maravilhoso que sofre de amnésia.

— O cara que pescaram no mar? — perguntou Bryan e seu interesse a irritou.

— Em Chatham, certo? — disse Max. — Qual era o nome dele?

— Ele ainda não se lembra. Todos o chamam de João.

— Não entendo como alguém pode ficar incógnito por tanto tempo — disse Bryan. — Você pesquisou no Google?

Chase inclinou-se para frente e perguntou: — Usando qual palavra de busca?

— Tentei pessoas desaparecidas em Massachussets e em Rhode Island — disse Will.

Ivy olhou para ele surpresa.

— E suponho que a polícia e o hospital tenham feito o mesmo. Verifiquei de novo ontem, mas ainda não há nenhum resultado positivo.

— Por que você não tenta a listas dos mais procurados do FBI! — exclamou Ivy.

— Tentei. É claro que, para estar lá, tem de ter sido condenado por alguma coisa.

Ivy virou-se para o outro lado.

— Pedi ajuda a um amigo do meu pai em Nova York, um advogado criminalista.

Ivy olhou para ele de novo e disse: — Não acredito que você fez isso!

Will continuou calmamente. — Ele disse que há vários entraves e pouca comunicação entre os oficiais da lei de uma cidade para outra e nas fronteiras estaduais. A menos que a pessoa seja o chefão do tráfico de drogas ou faça parte de um grupo terrorista, ele pode estar foragido ou ser suspeito de um crime, e uma pessoa que fica assim tão próxima não seria das mais espertas.

Foi preciso todo o esforço de Ivy para não explodir na frente dele. — Obrigada por ter feito uma investigação tão completa, Will — disse, amassando o guardanapo do sorvete. Levantou-se, jogou o papel no lixo e voltou para o rinque.

Tinha percorrido metade do rinque quando Bryan se aproximou dela.

— Ao contrário da opinião popular, você tem gênio forte — disse, sorrindo para ela.

— Todo mundo tem um ponto em que perde a calma — explicou Ivy.

— Absolutamente — concordou. — É uma das coisas interessantes que aprendemos ao conhecer uma pessoa, o ponto em que quebram. Você não quebra facilmente.

Ivy continuou patinando.

— É por que você tem extremo autocontrole ou por que ingenuamente acredita que as pessoas não vão confrontá-la?

— Essas são as duas únicas razões que você vê para uma pessoa não perder o controle?

Ele passou na frente dela, virando-se para olhar para ela, patinando de costas. — Você conhece alguma outra?

— Sim. Você não quer magoar a outra pessoa.

— Ah, essa... — ele sorriu para ela e disse: — Dance comigo, Ivy!

Ele patinou por detrás dela e ficou bem perto, combinando os movimentos perfeitamente com os dela. Olhou para Ivy novamente, depois se virou de forma que ela patinasse para trás. Como um bom dançarino, Bryan tinha força e habilidade para saber como se inclinar e virar a parceira, deixando tudo bem fácil. Patinar com ele era divertido e Ivy sorriu.

Cansado de dançar, Bryan fingiu estar jogando hóquei: saía correndo, parando de repente, dando a volta e rodeando Ivy o mais perto que outro patinador pudesse sem, na verdade, tocá-la. Ele patinou para trás, depois a provocou, como se tivesse o disco de hóquei, movendo-se para a direita e para a esquerda. Ivy sorriu e imaginou que deveria continuar patinando, que ele estava esperando que ela ficasse em linha reta enquanto desviava e passava por ela. No entanto, como ele fingia tão bem, ela não conseguiu evitar, desviou subitamente e eles colidiram.

— Opa! — ele disse, segurando-a para que não caísse e os dois começaram a girar. Bryan ria e a segurava bem firme. Quando pararam de rodar, ele não a soltou, não logo de cara. Ivy soltou-se dos braços dele e viu que Kelsey os observava.

— Vamos somente patinar — Ivy disse baixinho para Bryan. — Acho que você já ganhou essa rodada da Kelsey.

Bryan a empurrava de braços dados com ela e os dois patinaram tranquilamente. — E você acha que é isto que estou tentando fazer? Provocar Kelsey?

— Sim.

— Tudo bem. Vou jogar com você. Posso fingir que estou loucamente apaixonado por Kelsey e não estou saindo com nenhuma outra garota além de Kelsey, nem mesmo uma garota com um cabelo incrível e olhos verdes que um cara jamais esqueceria.

Como Ivy não respondeu, ele se virou para ela e disse: — Finjo muito bem, sabia?

— Eu sei.

— Você viu como eu consigo me mover para a esquerda e para a direita. Posso fazer isso em outros momentos, além do hóquei.

— Sim, e você viu o que acontece quando você finge de forma tão convincente. Nem todas as colisões terminam bem.

Os olhos de Bryan brilharam, e ele jogou a cabeça para trás rindo. — Você não faz ideia — disse, afastando-se dela.

Capítulo 20

Seu mordomo me mostrou o caminho — Ivy disse a João no sábado à tarde, depois que o Saco de pulgas a levou pelo caminho que dava a volta pela casa até o lago.

João sorriu e estendeu uma toalha debaixo da sombra de uma velha macieira. Sentaram-se, apoiando-se nos cotovelos e falaram sobre o trabalho: o artista excêntrico, cujo gramado era cheio de esculturas e que João havia podado de manhã, e o caranguejo ermitão que Ivy encontrou escondido debaixo do travesseiro de um garoto. A risada de João saía com muito mais facilidade agora. Ivy saboreava esse som.

— Você quer mais uma aula de natação? — ela perguntou.

— Esperava que você fosse trazer seu traje de banho.

Ela concordou com a cabeça e disse: — E uma boia. Já volto.

Ivy trocou de roupa no celeiro de João, depois foi cortando pelo gramado para chegar ao lago. Ela parou a uns 30 metros da água. Não dava para ver João em lugar algum. O gato continuava na beira do lago, olhando para a água. A camiseta de João ao lado dele. Não dava para ver o rapaz em lugar algum.

— Ah, meu Deus! — Ivy saiu correndo para o lago. — João! — ela gritou. A poucos metros da água, viu a sombra dele no fundo. — João!

Chegou bem perto para puxá-lo. Na mesma hora, ele ficou de pé, jogando Ivy na água. Pega de surpresa, ela começou a tossir e a espirrar. — Que diabos você estava fazendo?

— O que você estava fazendo? — ele devolveu a pergunta e, logo ao perceber a resposta, começou a sorrir. — Ah, você estava me salvando.

Sentindo-se uma tola, Ivy não sorriu.

— Estive treinando segurar o fôlego embaixo da água — explicou João. — Tenho de conseguir enfrentar esse medo sem meu anjo da guarda por perto. Não fique brava, Ivy.

Ela não conseguia ficar. Era a mesma coisa que tinha dito a Tristan no dia em que chegou à piscina antes dele e testou sua coragem mergulhando para encontrar um centavo.

— Olha o que eu encontrei — disse João, abrindo a palma da mão.

Ivy prendeu a respiração ao ver um centavo brilhando na mão dele.

— Eu o vi brilhando na água, como se fosse um pedaço do sol. É um sinal.

Ela olhou para cima rapidamente e disse: — Um sinal... de quê? — "Tristan, você está aí?" — disse para si mesma.

João hesitou. — De esperança. Ou talvez seja só uma moeda.

— Não, é um sinal — ela disse.

Ele examinou a moeda e disse: — Acho que vou colocar debaixo do cobertor. Não quero perder meu pedaço de esperança.

Ivy observava João caminhar pela margem, cabeça baixa, bem concentrado ao examinar a moeda. Será que deveria contar a ele sobre o dia em que se beijaram na piscina? Mas e se Tristan estava escondido dentro de João e Lacey estava certa... — Pronto para mais uma aula de natação? — ela perguntou quando ele voltou.

— Mais do que nunca.

— Certo. Bater a perna, respirar e boiar são os objetivos de hoje — disse a ele, tentando soar mais como uma professora e disfarçando o fato de que sentia o olhar dele iluminando toda a sua pele.

Ela o orientou a bater as pernas, depois o instruiu a usar a boia para se movimentar para frente e para trás pelo lago.

Depois da aula passou a se concentrar na respiração. — Finja que a água é um travesseiro para a sua cabeça — disse-lhe assim como Tristan tinha lhe dito um dia.

— Você é um nadador inato — anunciou minutos mais tarde.

— Você diz isso para todos os seus alunos.

— Vamos tentar boiar de costas — disse, demonstrando.

João a examinou por um longo minuto, depois inclinou a cabeça como se estivesse flertando com ela e perguntou:

— Posso só olhar?

— Não.

Sorrindo, ele se inclinou para trás na água, sentou-se primeiro e, depois, esticou o corpo. Quando ele veio à tona cuspindo água, Ivy riu e ele jogou água nela.

— Fiz a mesma coisa quando estava aprendendo. Você tem de arquear a coluna e inclinar a cabeça para trás o suficiente para que a água bata somente na sua testa.

Ela demonstrou novamente. Lembrou-se de como Tristan tinha colocado a mão atrás das costas dela para dar apoio, soltando-a depois.

"Estou boiando", tinha sussurrado para ele.

"Você está boiando", Tristan respondeu, olhando para ela.

"Boiando... Boiando..."

João estava de pé na frente dela e Ivy lia os lábios dele.

Sentiu João tocar as pontas dos seus cabelos que se espalhavam pela água. Ele se aproximou e o sol atrás dela desenhava uma auréola dourada. Parecia que seu corpo estava acordando de um longo sonho.

— Ivy — o nome dela saía de sua boca ao mesmo tempo em que ele procurava por ela, beijando-a com uma doçura inenarrável.

Era o beijo de Tristan. Ivy sabia, mesmo que João não soubesse. Desejou abraçá-lo e ser abraçada por ele. Alegrou-se com a forma como ele tirou seus cabelos molhados do rosto. Quando ele beijou suas orelhas e a ponta do seu nariz, ela riu do jeito brincalhão, certa de que sentia a alegria de Tristan no toque de João.

"Tristan, eu te amo", pensou. "Amarei para sempre".

Capítulo 21

Ivy foi com Beth e tia Cindy à igreja no domingo. Como havia poucos funcionários para ajudar naquele dia, Will disse a elas que ficaria na pousada. Por intermédio de Beth, disse a todas que estava juntando tudo o que era preciso para a fogueira que fariam à noite. "Will, sempre leal e cheio de consideração", será que estava tentando provar isso a ela? Ivy censurou-se por ter pensado dessa forma. Ele tinha passado por tanta coisa por causa dela; ele, também, precisa desta conclusão.

Maggie e Andrew esperaram até o fim da tarde para telefonar, sabendo que Ivy estaria trabalhando a maior parte do dia. Agora, com apenas dois casais hospedados, tinha toda a enorme varanda da frente para sentar-se sozinha, olhar para o horizonte azul e falar com eles ao telefone. Dez minutos mais tarde, Philip telefonou para ela, da casa da árvore.

— Lacey me visitou hoje de manhã — ele disse.

— É mesmo?

— Na igreja — disse, rindo. — Ela começou a me fazer cócegas.

— É bem ela.

— Estava bem no meio do sermão do reverendo Heap.

— É totalmente a Lacey.

— Ele me deu uma olhada feia — continuou Philip. — Depois uma das senhoras que cuidam das flores começou a apontar para mim dizendo: "Um anjo, um anjo!"

Ivy riu.

— Ela conseguia ver o brilho da Lacey.

— Então, ela acredita em anjos — Ivy disse.

— Mas as outras pessoas, como o reverendo Heap, só conseguiam ver a mim. A mamãe ficou vermelha.

— E o Andrew? O papai? — corrigiu Ivy, usando a forma como Philip chamava Andrew.

— Ele achou bem engraçado. De qualquer forma, Lacey disse que estava só dando uma passada, pois nós dois sentíamos a falta de Tristan. Ainda sinto a falta de Tristan.

Ivy sentiu a garganta se fechar.

— A mamãe, o papai e eu ficamos olhando para as fotos dele quando estamos em casa.

— Boa ideia — disse Ivy, enxugando uma lágrima. — Acho que vou fazer o mesmo.

Depois que Philip desligou, Ivy ficou olhando para o telefone por um bom tempo, refletindo se deveria ligar ou não para João. Hoje, mais do que nunca, queria ouvir a voz dele.

Na mesa de vime ao lado de Ivy havia um vaso cheio de rosas, recém-cortadas, do jardim de tia Cindy. O perfume delas remetia Ivy à última noite em que ela e Tristan ficaram juntos. Ele havia comprado um buquê de rosas púrpuras. Para Ivy, a cor exótica simbolizava o amor que se sente somente uma vez na vida. E elas faziam-na lembrar-se da água, água no pôr do sol, no nascer do sol, a água que dava asas ao corpo físico de Tristan. "Tristan, você está comigo?"

Era uma coisa louca, dizia a si mesma, acreditar que Tristan tivesse voltado para ela. Era injusto com João ver outra pessoa nele. Mesmo assim, o sentimento era tão forte. "Tristan, você está aí?"

O telefone tocou. Ivy deixou tocar por um minuto inteiro antes de atender e disse: — Oi.

— Oi. Sou eu — disse João. — Estava com medo de que você não fosse atender.

— Eu estava... pensando nas coisas — disse. — O que você estava fazendo?

— Arrancando troncos de árvores. E você? Além de pensar tanto, quero dizer.

— Quando os hóspedes de fim de semana vão embora, temos muito o que limpar. Fiz isso, fui à igreja e falei com a minha família.

— Qual o problema?

— Como assim?

— A sua voz — disse João. — Tem alguma coisa errada.

Ivy lutou para controlar as lágrimas.

— Ivy? Ivy, você está aí? — perguntou em resposta ao seu longo silêncio.

— Espere um pouco — disse, procurando por um lenço de papel.

— Você está bem? Ivy, fale comigo.

— Estou bem — disse, enxugando os olhos e assoando o nariz.

— Certo. Não precisa me dizer nada. Apenas não desligue o telefone.

— O que está acontecendo? — perguntou João.

— Hoje... hoje é 25 de junho.

— E é um dia especial — ele concluiu.

Ele sabia disso ou estava só inferindo? — Sim, é o aniversário da morte de Tristan — Ivy disse em voz alta. — Hoje faz um ano que ele morreu.

João ficou um pouco em silêncio e depois disse: — Sinto muito. O que posso fazer para ajudá-la? Você quer que eu vá até aí? Quer vir até aqui? Prefere ficar sozinha?

— Will, Beth e eu faremos uma fogueira em Race Point. Tristan era um nadador espetacular, ele competia.

— Então acho que ficaria feliz por ser lembrado dessa forma.

— Você viria? — perguntou de súbito. — Por favor?

João hesitou. — Hmm... claro — disse. — Encontro você lá. A que horas?

— Por volta das 20 horas.

Depois da conversa, Ivy foi dar uma longa caminhada. Um pouco antes das 18 horas, voltou ao chalé para trocar de roupa e encontrou Dhanya sentada no balanço.

— Como você está? — perguntou Dhanya.

— Bem. Obrigada.

— Will falou para Kelsey sobre a fogueira. Ele convidou a gente.

Ivy ficou surpresa e disse: — Não é uma festa.

— É uma vigília — disse Kelsey, saindo do chalé com um enorme pedaço de *pizza* sobre um prato de papel. — E vigílias são festas para os mortos, a melhor maneira de homenagear os queridos que partiram.

— O nome dele é Tristan — disse Ivy, entrando no chalé.

Estava com raiva. Por que Will achou que ela fosse gostar de ter Kelsey e Dhanya com eles? Por outro lado, ela tinha convidado João, e Will também ficaria bem desapontado com o convite. "Seja justa", disse a si mesma.

Uma hora mais tarde, depois que Will empilhou a madeira, as pás e uma geladeira portátil no porta-malas do carro dele, Ivy entrou no banco de trás e Beth foi na frente. Kelsey e Dhanya foram atrás de Will no jipe de Kelsey. Durante o percurso de 40 quilomentos, Ivy ficou esperando pelo momento certo para contar que João também iria, mas não encontrou abertura para isso. Tanto Beth quanto Will ficaram em silêncio. Ivy ficou pensando que Will convidou as outras garotas para suavizar o momento, impedindo assim que as coisas ficassem intensas demais.

Quando os dois carros chegaram ao estacionamento, Kelsey se ofereceu para empurrar a geladeira portátil pelas dunas. Will carregou a madeira e Ivy os atiçadores. Beth pegou as toalhas de praia e um punhado de sálvia púrpura que havia arrancado do jardim da tia Cindy. Ivy confiou a Dhanya o álbum de fotografias que havia trazido.

Enormes dunas separavam o estacionamento da praia e eles caminharam em lenta procissão pelo caminho principal no meio das dunas. Ivy gostava do esforço de se andar no meio da areia pesada; a brisa do mar estava fresca, mas a areia em seus pés estava quente.

Ivy e Will cavaram o poço da fogueira. Beth sentou-se na toalha, segurando o álbum que Dhanya havia deixado ali. Kelsey imediatamente abriu a geladeira para descobrir que não haviam trazido nada alcoólico. Ela e Dhanya foram brincar com a espuma do mar, rindo e jogando água uma na outra.

Quando o poço terminou de ser cavado, Will colocou a madeira e ajeitou os atiçadores. Ivy olhou para o azul do mar. Race Point Beach tomava toda a margem ao norte do litoral, bem onde a ponta de Cape se curvava, unindo-se ao continente. A curva da praia, assim como a do horizonte, fazia com que Ivy se sentisse em pé sobre uma alavanca entre dois mundos. O mundo que ela conhecia fica a oeste, em tons de rosa e dourado. Mas um outro mundo, em tons púrpuros como o brilho das estrelas, como na noite em que Tristan a beijou, paira no ar a leste. Ela se sentiu presa entre os mundos.

Quando o fogo começou a queimar, Kelsey e Dhanya uniram-se aos demais.

— Vocês vão cantar? — perguntou Kelsey quando todos se sentaram.

— Vamos compartilhar lembranças de Tristan — Will disse baixinho. — Falar sobre o tipo de pessoa que ele era e sobre as coisas que ele fez.

— Isso é meio deprimente, não é? — disse Kelsey, e logo seu rosto se iluminou quando olhou para as dunas. — Ah, olá!

Todos seguiram seu olhar. João estava indo na direção deles.

— Cheguei o mais cedo que pude — ele disse quando se aproximou.

— Quem convidou você? — Will perguntou em um tom autoritário.

— Fui eu — disse Ivy.

João manteve os olhos fixos nela. — Trouxe flores para você — disse, segurando o buquê embrulhado em papel, um pouco inseguro em relação a oferecê-lo ou não.

Ivy sorriu e levantou-se, estendendo as mãos. — Ah! — olhou para as rosas nas mãos de João e as lágrimas saltaram em seus olhos. — São púrpuras.

— Eu errei — disse João, tirando-as de vista rapidamente.

Ivy pegou as flores e segurou a mão dele. — Não, não, são perfeitas — e perguntou olhando nos olhos dele. — Como você sabia que... que eu amo rosas púrpuras?

Ele deu de ombros e disse: — Pareceram-me perfeitas para você.

— São lindas. Obrigada — disse Ivy, segurando as flores em seus braços.

— Meus pais me deram rosas púrpuras no meu aniversário de 16 anos — interrompeu Dhanya. — Eles me dão uma cor diferente a cada ano. E o buquê tem sempre o número de rosas referentes a minha idade.

— Antes da princesa Dhanya nos contar os detalhes de cada uma das suas comemorações especiais de aniversário — disse Kelsey — pegue um refrigerante, João. Vamos dar continuidade à vigília.

Ivy cedeu espaço a ele em sua toalha. João sentou-se ao lado dela, de frente para Will e Beth.

Will falou sobre Tristan ser um nadador de primeira linha e Ivy lembrou-se do dia em que Suzanne e Beth a arrastaram para vê-lo competir pela primeira vez na escola.

— Posso ver as fotos que você trouxe? — perguntou Dhanya.

Beth passou o álbum e Dhanya começou a virar as páginas. — Ei, quem é esse bonitão? — perguntou, levando o livro até Ivy, colocando-o no colo dela e se espremendo ao lado dela na toalha.

— Gregory.

Ivy percebeu o suspiro de Beth. Will abaixou a cabeça e olhou para a fogueira.

— O assassino? Deixe-me ver — disse Kelsey ficando de frente para elas. — Ele não parece um assassino.

— E qual a aparência de um assassino? — disse Beth rispidamente. — Como é que dá para saber?

— Em primeiro lugar — disse Kelsey —, deveria haver crueldade nos olhos dele ou na boca. Não consigo ver nada disso nessas fotos.

— Ivy, esta é você, neste vestido justinho! — exclamou Dhanya. — Não me diga que foi você quem escolheu essa roupa!

— Não fui eu. Este é o Tristan — disse Ivy apontando para uma foto de uma das mesas dos convidados para o casamento e Tristan os estava servindo. João ficou mais perto para ver a foto, mas ela não viu nenhum sinal de reconhecimento na expressão dele.

— O seu Tristan? — perguntou Dhanya. — Mas ele é só um garçom!

Ivy riu e contou para eles sobre o casamento de sua mãe e a curta carreira de garçom de Tristan. — Acho que, se não foi por mim, pelo menos foi amor à primeira vista pelo meu irmão.

João apontou para o irmão dela em outra foto e disse: — Philip. Eu o conheço.

O coração de Ivy acelerou. Mas então ela lembrou que eles se conheceram no hospital.

— Ele é um bom menino — disse Kelsey, voltando para a sua toalha, inclinando-se para trás para ver o céu escurecer.

Dhanya virou a página e disse: — Beth, seu cabelo está diferente. Gosto mais de como está agora.

Dhanya estava olhando para a foto de Beth, Tristan e Ella. — Dei Ella a Tristan — Ivy explicou a João. — Tinha de doá-la a alguém e Tristan respondeu ao meu anúncio. Ele não sabia nada sobre gatos, mas me garantiu que cuidaria muito bem dela, daria banho e a alimentaria.

João sorriu e disse: — Então foi só um truque para ver você.

— Sim, mas ele logo se apegou a ela — disse Ivy.

— Onde ela está agora? — João perguntou.

— Gregory a enforcou — disse Beth.

Dhanya perdeu o fôlego. Will jogou um graveto na fogueira.

— Ele faria qualquer coisa para pegar você — comentou João.

— Sim, e se não fosse por Will, Gregory teria conseguido. Will arriscou a vida por mim. Ele me salvou.

Will olhava para as chamas. Ivy levantou-se e foi para perto dele. Ajoelhando-se ao lado dele, ela o abraçou. Por um minuto, ele se recostou nela, dando-lhe a mão.

Quando Ivy olhou para cima, João havia fechado o álbum e estava observando os dois pela luz da fogueira.

Dhanya estava chorando.

Kelsey endireitou o corpo e disse: — Dhanya, você está chorando por uma gata e um cara que você nem conhece.

— Conheço Ivy e Will — retrucou Dhanya.

— Se ninguém disser nada animado por aqui, vou embora — disse Kelsey.

Ninguém disse nada.

— Certo, pessoal. Fui. Você vem comigo, Dhanya?

Dhanya balançou a cabeça negativamente.

— Eu vou com você — disse Beth.

Will e Ivy olharam para ela, surpresos.

— Acabou. Tristan morreu — disse Beth, jogando o buquê de sálvia no fogo. Ele queimou e as chamas voaram pelo céu por um momento e depois caíram. Uma chuva de faíscas, escurecendo ao se transformar em cinzas, fez com que Ivy se lembrasse de estrelas cadentes.

— Descanse em paz, Tristan — disse Will, delicadamente.

Capítulo 22

Will e Ivy enterraram o fogo uma hora depois. Ivy queria poder ir para casa na garupa da moto de João, mas dava para ver que Will ainda estava muito magoado e se sentiria traído se ela não voltasse com ele e Dhanya.

Todos foram dormir cedo, e Ivy dormiu bem pesado até às 3 horas da manhã, quando acordou. Ao abrir os olhos, ficou alerta na mesma hora, como se alguém a tivesse chamado. Ela se sentou, ouvindo atentamente. Beth, Dhanya e Kelsey continuavam dormindo. Ivy ajoelhou-se ao lado da janela, pressionando o rosto contra a tela, mas não viu nem ouviu ninguém lá fora. Levantou-se, vestiu camiseta e *jeans* e pegou o sapato e a carteira, saindo na ponta dos pés. Do lado de fora do chalé, a lua cheia brilhava no alto, deixando um brilho prateado no jardim. Ivy fez uma pausa apenas por um momento para apreciar a noite silenciosa, então foi até o seu carro determinada, como se tivesse planejado voltar para Race Point há horas. Deixou o carro em ponto morto com os faróis apagados, até chegar a uma rua pavimentada, então acendeu os faróis e dirigiu.

Havia uma parte de Ivy que estava fora de seu corpo, analisando suas próprias ações. Essa sensação de ter sido chamada, "teria sido um sonho?" Tudo o que sabia era que, o que a tivesse despertado, era algo que extrapolava o seu ser.

Ivy deixou o carro em um estacionamento vazio em Race Point e foi caminhando para o mar. Os ricos tons coloridos do pôr do sol e da fogueira haviam desaparecido. A paisagem de dunas e mar, banhada pela luz da lua, pareciam vir de um outro mundo.

— Sabia que você viria.

Ao ouvir a voz de João, o coração de Ivy parou. João a havia seguido no caminho meio às dunas. Sob a luz da lua, o cabelo dele tinha um tom prateado.

— Você sabia? Como?

— Não conseguia dormir e não parava de pensar. "Ela vai voltar, você tem de estar lá" — ele parou bem perto dela e perguntou: — O que fez você voltar?

— Não sei. Senti que estava sendo chamada.

Caminharam juntos até o local da fogueira. Ivy havia deixado uma única rosa púrpura em cima do fogo enterrado. Pegou-a e tocou suas pétalas aveludadas com um dos dedos.

— Ele lhe deu rosas púrpuras — disse João.

— Você sabia disso?

— Soube assim que vi a expressão em seu rosto.

— Estava tentando ajudar. Desculpe-me se a fiz sofrer mais.

— Não me fez sofrer mais. Pareceu-me uma espécie de milagre receber aquelas rosas. Pareceu-me... um recado de Tristan.

João segurou a mão de Ivy. — Venha aqui. Achei um bom lugar para sentarmos — ele a levou a um ponto coberto entre os morros que se espalhavam pela praia. Ao se sentarem na areia, recostaram-se em um tronco de árvore.

— Quando você e Will estavam falando de Tristan, senti como se o conhecesse.

Ivy olhou nos olhos de João cheia de esperança.

— Como Tristan morreu? — ele perguntou.

— Gregory cortou o freio do carro. Estávamos em uma estrada cheia de curvas e havia um cervo e outro automóvel. Não dava para parar. Eu sobrevivi. Tristan não — ela olhou bem para o rosto de João, procurando algum traço de reconhecimento, mas ele desviou o olhar antes que pudesse interpretá-lo.

— Gregory tinha ciúme de Tristan? Ele estava apaixonado por você?

— Não. Eu era o alvo. Tinha encontrado Gregory, sem querer, no dia em que ele matou a mãe dele e...

— A mãe dele?

— ... ele achou que eu sabia o que ele tinha feito. Por um tempo ele fingiu se importar comigo. Eu acordava após pesadelos horríveis e ele sempre estava por perto. Era gentil comigo. Me abraçava, até que eu voltasse a dormir.

— Então, talvez...

— Não. No fim ficou bem claro. Gregory me odiava.

— O amor pode ser o combustível do ódio — ele disse, desenhando um triângulo na areia duas vezes, franzindo a testa.

— O que é isto? — Ivy perguntou.

Ele balançou a cabeça negativamente e disse: — Não sei. Às vezes, algo me parece familiar, mas logo perco a ligação.

Ivy acariciou o rosto dele com os dedos. — Vivo assombrada por um passado que não consigo esquecer e você por um passado de que não consegue se lembrar.

João a envolveu em seus braços e disse: — Então, vamos viver no presente. Cada momento que passo com você me parece um presente.

Recostaram-se no tronco, olhando para as estrelas. O beijo terno virou um beijo apaixonado. Em seguida, João tirou a camisa e a estendeu na areia, deitaram-se em cima dela, deixando a maior parte do tecido macio para Ivy, que se deitou, recostando a cabeça no peito dele.

— Agora durma — ele disse, segurando-a com firmeza em seus braços. — Estamos juntos agora, durma.

Ivy acordou e viu um céu com tons de laranja como um pêssego e tons rosa a leste. Os braços de João ainda a envolviam e os olhos dele estavam fechados. Ela se virou de lado, apoiando-se em um dos cotovelos, examinando o rosto dele, os cílios dourados e a barba por fazer. Correu o dedo, fazendo o contorno do lado dele.

Ele abriu os olhos e disse gentilmente: — Bom dia. Dormiu bem?

— Sim. Encontrei um bom travesseiro. E você?

Ergueu o corpo o suficiente para beijar o ombro dela. — Achei um colega de quarto que não tem pulgas.

Ela o empurrou, rindo.

— A que horas você começa a trabalhar? — ele perguntou.

— Trabalhar! — ela sentou-se direito e pegou seu telefone. Estava sem bateria. — Você sabe que horas são?

João pegou seu telefone e disse: — Umas 5 e pouco.

— A pousada fica a quase uma hora daqui e começo a trabalhar às 6h30.

— De volta à realidade — disse João, levantando-se e estendendo a mão para ela. Ela pegou a camiseta dele e a chacoalhou para limpá-la.

João, que havia estacionado a moto no centro de visitantes, encontrou Ivy no caminho e foi seguindo o carro dela pela estrada 6.

Na hora em que chegaram à pousada Seabright, o sol estava apontando os primeiros raios amarelos pelos espaços entre as copas dos pinheiros. Ao sair da motocicleta, João deu mais uma olhada no telefone e falou: — 5h58.Ivy encostou no carro, relutante em dizer adeus. — Sabe, a Beth sempre disse que os carros são como as roupas, detalhes que desenvolvem um personagem em uma história.

— E?

— Que tipo de carro você gostaria de dirigir? — ela perguntou.

— Algo bem potente que fica bem menos amassado.

Ivy sorriu. De mãos dadas, caminharam até o chalé. — Que carro você acha que realmente dirigia?

— Provavelmente o carro velho de alguém. Tipo o dos meus pais ou, nem mesmo sei — a voz dele falhou — nem mesmo sei se tenho pais.

— Que tipo de pais você acha que tinha? Que tal uma mãe médica?

Ivy sentiu João recuar. — Isso é perigoso, Ivy.

— O quê? — ela perguntou, sentindo-se na defensiva.

— Imaginar coisas sobre mim. Não quero me confundir. Não quero misturar o que realmente aconteceu com o que eu quero — ele hesitou e continuou —, com o que quero muito que seja a verdade.

"O que você quer que seja a verdade?" Era o que Ivy estava prestes a perguntar, mas viu que ele estava olhando para o chalé.

Beth sentada no balanço, Will na soleira, os dois de braços cruzados.

— Onde você estava? — perguntou Beth com raiva.

— Race Point — Ivy respondeu.

— Por que você voltou para lá? Por que ele voltou para lá?

Ivy controlou sua raiva diante da forma como Beth se referia a João, na terceira pessoa, e disse: — Nós queríamos.

Will levantou-se abruptamente e saiu de lá sem dizer uma só palavra. Beth levantou-se do balanço. Na mesma hora, Kelsey apareceu na porta do chalé ainda usando a camisola de cetim.

— Ora, ora, ora — disse, segurando a porta de tela aberta. — Ivy, a boa moça, que nunca saiu no meio da noite para uma aventura, retorna à casa ao raiar do dia — Kelsey piscou para

João. — Parece-me que Ivy teve uma noite bem melhor que a nossa.

Beth passou com tudo por Kelsey e entrou no chalé. Kelsey olhou por cima do ombro e disse: — Você me deve uma, Ivy, por não permitir que Beth fosse correndo para tia Cindy encrencar você. E você deve uma hora de sono a mais para mim e para Dhanya. Beth teve um ataque histérico.

Ivy virou-se para João e disse com carinho: — É melhor você ir. Falo com você mais tarde, está bem?

Ele apertou a mão dela e voltou silenciosamente e de cabeça baixa para o estacionamento.

Meia hora mais tarde, Ivy foi a última a chegar na cozinha da pousada, vestida para o trabalho. Ficou bem óbvio, pela amargura de Will, a rigidez de Beth, o brilho nos olhos de Kelsey e os olhares furtivos de Dhanya, que havia acontecido alguma coisa na noite anterior.

Tia Cindy rapidamente percebeu a situação e, em vez de distribuir as tarefas, disse: — Hoje preciso de um de vocês no jardim, um comigo no café da manhã, um limpando os quartos e dois para lavar a varanda. Decidam quem vai fazer o quê — e saiu para fazer o seu bule de café forte de sempre.

Ivy, querendo ficar longe dos demais, escolheu a tarefa de que todos gostavam menos, limpar os quartos. Como o trabalho estava tranquilo naquela manhã, todos terminaram cedo. Ivy foi para a praia da pousada.

Ela foi até a metade dos 52 degraus do penhasco e sentou-se um pouco no pátio em que havia bancos de madeira. Queria pensar em João, lembrar-se de cada doce momento com ele, analisar todos os sinais de que Tristan tinha voltado para ela. Depois de algum tempo, desceu o restante da escada e caminhou na beira do mar.

Pensamentos obscuros começaram a assombrar a mente de Ivy. "E se Lacey estivesse certa", perguntou-se, "e Tristan tivesse feito algo proibido ao salvá-la? E se ele estava se escondendo dentro de João, será que seu amado João amaldiçoaria a alma de Tristan para sempre?"

Finalmente, retornou à pousada e subiu todos os degraus, perdida em seus pensamentos.

— Ivy.

Ao erguer a cabeça, viu Beth e Will parados a sua frente na área de descanso. Os dois expressando amargura, ombros colados, fizeram Ivy pensar em anjos segurando espadas, proibindo Adão e Eva de voltarem ao Éden.

— Com licença — disse Ivy, tentando passar por eles.

Eles bloquearam o caminho.

— Precisamos conversar — disse Will. — As coisas foram longe demais.

Ivy piscou e perguntou: — O que é isso, uma intervenção?

— Chame do que quiser — ele disse. — Estamos fazendo isso porque nos importamos. Ivy, você não está tomando boas decisões.

— Você está se arriscando demais — disse Beth.

— Estou me arriscando da mesma forma que qualquer pessoa que já tenha se apaixonado por alguém.

Beth balançou a cabeça negativamente e disse: — Mas você não sabe quem é o João.

— Na verdade, creio que conheço João melhor do que ele se conhece.

— O que — lembrou Will — é exatamente o que você disse sobre Gregory quando a mãe dele morreu. Você sentiu pena dele e criou desculpas para as atitudes impulsivas dele. Você disse que havia passado a entendê-lo depois de ir morar com ele.

Agora você está criando desculpas para o João.

— Você está criando desculpas para uma pessoa que nem consegue se lembrar por que esteve metido em uma luta brutal, o suficiente para matá-lo — acrescentou Beth.

— Pelo que você sabe — disse Will —, o João pode ter matado alguém e levado uma surra enquanto fazia isso.

— Isso é loucura! — exclamou Ivy. — Tão louco quanto pensar que o João estava dirigindo o carro que bateu no meu na estrada!

— Ivy, ele está fingindo que não se lembra. Por que você é tão ingênua? — gritou Will.

— E por que você está tão determinado a pensar o pior de alguém? — ela reagiu devolvendo a pergunta.

— Recebi um *e-mail* da Suzanne — disse Beth baixinho.

— Recebeu? — Ivy inclinou-se na grade, sentindo um cansaço súbito por conta da discussão.

— Ela está sonhando com Gregory.

Ivy pensou um pouco e disse: — Isso não me surpreende.

— Ela está sonhando com ele há duas semanas.

— Beth, todos nós estamos pensando em Gregory e em Tristan há duas semanas — salientou Ivy.

— Li os *e-mails* — disse Will. — Suzanne não consegue se lembrar dos sonhos, ela simplesmente sabe que fala com ele.

— Nos sonhos, você quer dizer — disse Ivy. — Ela está revivendo cenas passadas.

Will cerrou os punhos de impaciência. — Já disse que ela não se lembra dos sonhos. Mas sente que ele a está assombrando.

Ivy olhava para um e para o outro. A testa de Will gotejava de suor. Os dedos de Beth não paravam de apertar a ametista com tanta força que as pontas deles ficaram brancas por falta de circulação.

— Era óbvio que isso aconteceria — ponderou Ivy. — Quando Gregory morreu e a verdade veio à tona, Suzanne lidou com tudo "maravilhosamente bem", como todos disseram. Mas não há como uma pessoa lidar com esse tipo de situação, "maravilhosamente bem". É um pesadelo que irá produzir mais pesadelos, e isso não vai passar antes da hora certa. Não há atalhos para curar as feridas desse tipo de situação. Suzanne está finalmente vivendo esse momento.

— Não. Gregory voltou — insistiu Beth, dando dois passos na direção de Ivy e colocando sua mão fria sobre o braço dela. — Ivy, você quase perdeu a vida há duas semanas, em um acidente de carro, bem parecido com o que Gregory causou ano passado. O que preciso fazer para que você acredite em mim?

Ivy soltou o braço e passou no meio dos dois amigos. — Sua imaginação está fora de controle, Beth. Você e Will já estão de cabeça-feita, e nem estão tentando me ouvir.

— Estou ouvindo — Beth disse por detrás de Ivy. — E ouço coisas que você não ouve.

Capítulo 23

Foi estranho entrar em conflito com seus dois melhores amigos. Ivy estava preocupada com Beth, mas não havia razão para discutir suas preocupações com Will, não agora, quando ele estava convencido de que era Ivy quem estava agindo de forma irracional.

Mais tarde, naquele dia, depois de ter feito planos de ir com João a um festival de verão, Ivy subiu para procurar por algo especial para vestir. Beth andava para lá e para cá no quarto, com o telefone grudado no ouvido.

— Não, estou ocupada — disse Beth a quem falava com ela. — Já fiz planos para hoje à noite — Beth ouviu um pouco e franziu a testa. — Nunca disse isso, Chase... Não, você não pode vir comigo.

Ao ver Ivy, Beth virou as costas e se inclinou sobre o telefone.

Ivy observou um pouco no espelho e depois continuou a mexer em suas coisas.

— Desculpe, preciso ir — disse Beth, desligando o telefone.

Ivy olhou por cima do ombro. Há uma semana, teria sentado na cama, batido com a mão no lugar ao lado dela e perguntado à amiga: "Como vão as coisas?" Agora, olhava em silêncio para Beth, que franzia a testa para sua imagem no espelho, balançando os ombros como se tivesse tocado em algo desagradável e indo para o andar de baixo.

— Festival do morango! — Ivy disse várias horas mais tarde, alegremente dando a mão a João e olhando para a placa que estava presa entre os dois carros de bombeiro antigos. O festival anual ficava aberto por uma semana e angariava fundos para o corpo de bombeiros de Cape. Apresentava uma confusão de tons e cores das barracas e montanhas-russas debaixo das faixas de luz.

— Por onde você quer começar? — ela perguntou.

— Pelos jogos — disse João, sorrindo para ela. — Estou sentindo que estou com sorte hoje. Que tal dardos? Por ali.

A barraca, comandada por uma mulher com chapéu de bombeiro, tinha fileiras de bexigas vermelhas, brancas e azuis. João pegou 2 dólares.

— Aqui estão os seu dardos — disse a mulher, que tinha um estranho sotaque de Massachusetts. — Boa sorte.

João pegou um dardo e o virou em suas mãos, examinando-o. — Não consigo me lembrar... para que lado ele vai? — perguntou a Ivy e riu da reação dela. — Estou brincando.

Ele ergueu um dos braços, mirou e jogou. Pop!

— Um! — disse a mulher.

Ele errou o dardo seguinte.

— Um de dois.

João cerrou os dentes e jogou. Pop! E jogou novamente. Pop!

— Três de quatro — anunciou a mulher.

João jogou o último dardo. Pop!

— Quatro de cinco! Escolha um prêmio de qualquer fileira, amigo!

João virou-se para Ivy e disse: — Do que você gostaria?

— Escolha você — Ivy disse a ele, curiosa para ver o que ele escolheria.

João analisou os vários bichos de pelúcia e disse: — Primeira fileira, o terceiro da esquerda para a direita.

A mulher deu a ele um cavalo alado, de pelúcia.

— É um cavalo anjo ou é o Pegasus — João disse a Ivy ao entregar o brinquedo de pelúcia em suas mãos.

— Pegasus — ela repetiu. — Você conhece mitologia.

João esboçou um sorriso amarelo. — Mais uma prova de que sou um cara de classe.

— Eu sempre soube! Obrigada! — Ivy disse, colocando o brinquedo debaixo do braço. — Peg é tão doce.

Foram para outra barraca e revezaram-se atirando argolas nas garrafas. Deram uma volta na roda-gigante, subindo e descendo pelas luzes piscantes do festival.

— Quer ir a outro brinquedo ou quer jantar? — João perguntou quando saíram.

— Quero sobremesa — disse Ivy. — E depois outro brinquedo. E depois outra sobremesa.

Ele riu e caminharam de braços dados, seguindo as placas da praça de alimentação. No caminho, Ivy viu que Max acenava para ela.

— Ivy, aqui! — ele chamou. Ele e Beth estavam sentados em um banco perto dos carros de batida.

— Quem é? — perguntou João.

— Max. E Beth.

— Will está aqui hoje? — a voz de João mostrava certo desconforto.

— Acho que vieram todos juntos — disse, observando o olhar cauteloso de João ao redor do ambiente. — Por que você não vai para a fila do hambúrguer enquanto eu vou cumprimentá-los? — sugeriu Ivy.

Ela foi ficar com Max e Beth, espremendo-se no banco em que estavam. — Oi, cadê o pessoal?

— Estão no carrinho de batida. Beth não quis ir. E eu sei bem como Bryan e Kelsey dirigem carros de batidas, então também não quis.

Ivy sorriu, depois ficou de pé um pouco para observar. Os carrinhos eram antigos, com postes altos na traseira, terminando como línguas de cobras que brilhavam pelo teto de metal. Will e Dhanya dirigiam tranquilamente pelo chão encerado. Bryan, Kelsey e mais alguém viraram os carros como loucos, causando várias batidas.

— Aquele é Chase? — Ivy perguntou, surpresa.

— Sim — respondeu Max, e Beth continuou calada.

— O cheiro — murmurou Beth. — Ivy, aquele cheiro horrível.

— Que parece cabelo queimado? — perguntou Max. — Esse é o cheiro dos carros de batida.

Ivy sentou-se. — Não pensei que Chase fosse aparecer por aqui hoje.

— A gente também não — respondeu Max. — Ele estava esperando no estacionamento e nos seguiu até aqui.

— Cuidado — disse Beth. — É perigoso.

Ivy franziu a testa. Será que era Chase que estava assustando Beth?

— É elétrico, mas é seguro — Max garantiu a Beth.

Beth balançou a cabeça negativamente, mexendo na corrente de seu pingente.

Eram duas conversas ocorrendo paralelamente, Ivy percebeu, e ninguém estava consciente de que o outro não estava entendendo nada.

Os carros pararam, e Kelsey, Bryan e Chase, com o comportamento exaltado, riam ao passar pela rampa de saída.

— Ei, Ivy! Você devia ter vindo conosco. Você e o João — disse Kelsey, logo parando para olhar ao redor. — Onde está o Senhor Mistério?

— Pegando algo para comer — respondeu Ivy, apontando para a barraca de hambúrguer.

— Senhor Mistério — disse Bryan. — Você está falando do camarada com amnésia?

— Onde? — perguntou Chase e seus olhos acinzentados brilhavam de curiosidade.

Bryan, Max e Chase inclinaram o pescoço para ver. Quando Will observou, estreitando os olhos, Ivy virou-se para ver também.

João estava falando com uma morena, balançando a cabeça e gesticulando muito, como se estivesse explicando seu ponto de vista. Saiu de perto da garota, mas, logo em seguida, após ela ter dito alguma coisa, ele se virou para ela de novo e continuou a conversa, de uma forma mais agressiva do que antes.

— Com licença — disse Ivy, indo até ele.

— Briga de mulher! — anunciou Kelsey cheia de esperança.

Antes de Ivy chegar até João, a garota se afastou. Estava olhando na bolsa e deu para Ivy ver que o telefone dela tocava. A garota pôs o telefone no ouvido, depois olhou mais uma vez para João. Ivy mal conseguiu entender o que a garota disse ao partir, mas perguntou:

— Ela disse "tchau, Luke"? — perguntou Ivy.

João virou o corpo e disse: — Quê?

— Achei ter ouvido ela chamá-lo de Luke — disse Ivy.

— Ouviu errado — respondeu, mas não olhou nos olhos de Ivy.

— Você a conhece, João?

— Nunca a vi na vida. Ela estava me pedindo orientações.

E ele ficou todo irritado por causa de orientações. — Ela quer ir para onde?

Os olhos dele brilharam ao perguntar. — Isso é um interrogatório?

Ivy inclinou a cabeça para o lado, analisando João e disse: — Não.

— Desculpe — disse João com a voz mais mansa. — Não devia ter me irritado.

Ivy concordou logo em seguida e disse: — E eu não devia ter pressionado você.

João olhou por detrás dos ombros dela, parecia ansioso. — Estou muito cansado, Ivy. Você se importa se eu for para casa?

— Você não vai comer nada?

— Como alguma coisa em casa.

Ela desistiu com um suspiro. Talvez Luke fosse o nome da pessoa que telefonou para a garota, Ivy pensou enquanto caminhavam, silenciosamente, até o carro dela. Mesmo assim, ela sabia que algo tinha chateado João e ele estava omitindo o fato.

Quando chegaram em Willow Pond, João não queria que ela ficasse, pois disse: — Vou direto para cama — saindo rapidamente do carro.

Ivy abriu a porta e foi ao encontro dele. — E se eu ficar sentada no lago e tomar conta de você, só para ter certeza de que está bem?

— Não.

A rapidez da resposta dele a deixou atônita.

— Preciso dormir. Preciso... de um tempo para mim. Preciso de espaço.

A mesma coisa que ela tinha dito a Will. Ivy sentiu um nó na garganta.

— Amanhã estarei melhor. Não se esqueça de dar comida ao Pegasus — disse, forçando um sorriso.

— Me liga — ela disse.

Sem responder, João acariciou o rosto dela com os dedos e foi embora.

Ivy andava pela sala do chalé, mentalmente revivendo a cena com João e a garota no festival, tentando interpretá-la. Os gestos de João sugeriam emoções fortes, mas não dava para saber se era raiva, frustração ou descrença.

Se a garota estava dizendo que conhecia João, por que ele não contou para Ivy, e assim poderiam seguir qualquer pista que tivesse surgido com esse encontro? Talvez ele quisesse fazer isso sem a presença dela. Talvez ele não tivesse gostado do que ouviu sobre si mesmo, talvez tenha sido algo horrível.

"Não", Ivy disse a si mesma. "Sua mente está envenenada por Beth e Will."

De qualquer forma, uma suspeita havia criado raízes, e não conseguia se livrar dela. Cada vez que passava pela cozinha, via o computador de Beth aberto em cima da mesa. Será que era vontade de ajudar ou a sensação de ter confiado na pessoa errada que a instigava? Não tinha certeza, mas às 23h15, com os demais ainda na rua, sentou-se e pesquisou o nome "Luke" no Google.

"Luke" e o que mais?, pensava, batendo os dedos sobre a mesa. "Luke" e "pessoas desaparecidas", digitou; depois, riu de si mesma. Apenas 51.800 resultados. Tentou "Luke", "pessoas desaparecidas" e "Massachusetts". 8.310 resultados. Ao rastrear, encontrou resultados de hospital chamado St. Luke e pessoas que se chamavam Luke, que não eram de Massachusetts, mas que tinham um parente lá ou haviam passado por lá. Dava para eliminar "St." e "hospital" da busca, mas será que fazia sentido restringir a busca a Massachusetts? Por que não Rhode Island ou qualquer outro estado, pensou; Cape Cod era cheio de turistas, a garota no festival poderia ser um deles.

Talvez devesse procurar por data. Mas quando João foi dado como desaparecido? No dia em que foi dado como morto na praia ou um pouco antes? Os artigos e postagens sempre mencionavam idade, mas ela não sabia a idade exata dele.

Ivy continuou rastreando, clicando nos resultados, lendo descrição atrás de descrição, das pessoas que desapareceram do nada. Não fazia ideia de que eram tantas. Imaginava se algo horrível teria acontecido com eles ou se haviam "fugido" e mentido para começarem uma vida nova. Concentrada no que estava fazendo, não ouviu alguém se aproximar. Não sabia que Will estava atrás dela, até ele se inclinar atrás da cadeira.

— Ivy, o que você está fazendo?

Ela fechou o computador com tudo e virou o corpo. — Will, você me assustou — disse, sabendo que a desculpa era fraca demais para sua reação exagerada.

Will continuou tranquilo e perguntou. — Quem é Luke?

Quando estendeu o corpo como se fosse abrir o computador, ela pôs a mão em cima da dele e disse: — Não sei.

— Esse é o nome verdadeiro do João?

— Se fosse, tenho certeza de que você já teria descoberto na sua investigação completa.

Will riu e disse: — Não sou seu inimigo, Ivy.

— Mas acha que o João é.

Ele cruzou os braços e disse: — Acho que você não sabe discernir entre uma pessoa que se preocupa com você e uma que está usando você.

Ivy sentiu seu rosto queimar e disse: — Saia daqui! Saia agora!

Antes de Will sair batendo a porta atrás dele, Ivy fechou sua janela de busca e desligou o computador. Ah, se ela ao menos pudesse desligar o medo que crescia em sua mente.

Capítulo 24

Desde a hora em que acordou no domingo de manhã, Ivy não parou de olhar para o telefone, mas João não ligou. Era difícil não ligar para ele, mas ele disse que queria espaço, então ela se esforçou para ser paciente.

Mais tarde, naquele dia, achando o silêncio do telefone insuportável, ela foi até a igreja estudar piano, esperando encher a cabeça com Chopin, Schubert e Beethoven. Às 18h30, pegou um sanduíche em uma lanchonete perto da igreja e voltou a estudar.

"E se aconteceu alguma coisa com João?", pensou, e quase usou isso como uma desculpa para ligar para ele. Mas ela sabia que Kip tinha o telefone dela em "caso de emergência" e teria entrado em contato caso tivesse acontecido alguma coisa. Às 20h20, ela foi para casa, deixando o telefone no banco do passageiro para que pudesse atendê-lo rapidamente.

Ao chegar na Seabright, Ivy viu que tanto o carro de Will quanto o de Kelsey não estavam por lá. As luzes do chalé estavam apagadas e estava tudo quieto lá dentro. Ivy entrou em silêncio, relutante em acabar com a iluminação natural de fim de tarde da casa. Na cozinha só havia uma luz noturna acesa, brilhando sobre um recado de tia Cindy, dizendo que sairia naquela noite.

Esperando tirar João do pensamento, Ivy subiu para pegar seu livro de mistério. Parou na metade do caminho. A luz da vela se agitava contra o teto baixo do quarto. Ela foi na ponta dos pés até o topo da escada e, para sua surpresa, viu Beth sentada no chão ao lado da cama de Dhanya, concentrada no tabuleiro *Ouija*. À luz das velas, o perfil de Beth estava branco como um fantasma, mas dava para ver uma faixa rosada na face.

Ela não deu sinal algum de que sabia que Ivy estava lá. Com os dedos apoiados na palheta, Beth fechou os olhos, cantando delicadamente. Ivy aproximou-se um pouco mais, tentando entender as palavras.

— Responda, responda, me dê a sua resposta — murmurou Beth.

Segundos se passaram. As mãos, os ombros e a cabeça de Beth não se moviam. O único movimento que ela fazia era com os olhos, debaixo das pálidas pálpebras fechadas, vendo coisas que Ivy não conseguia ver.

— Responda, responda, me dê a sua resposta.

A palheta começou a se mexer, mas era um movimento errático.

— Responda, responda! — clamou Beth em um tom mais insistente.

A peça triangular começou a fazer lentos movimentos circulares pelo tabuleiro, no sentido anti-horário. Ivy contou seis círculos. Depois mais seis e mais seis.

— Responda, responda, me dê uma resposta. É você?

A palheta mudou para a letra G.

Ivy segurou o fôlego. Será que era Gregory?

Começou a se mover para os lados e foi até a letra R.

Ivy ficou observando, cada vez mais nervosa.

E... G... O... R... Y...

— Gregory — balbuciou Ivy.

E... S... T... Á...

— Está — Ivy disse baixinho, mas Ivy estava tão em transe que nem ouviu.

A...

— Pare! — gritou Ivy.

Q...

— Pare, Beth!

U...

— Pare agora!

Antes da palheta tocar a letra I final, Ivy abaixou-se e a posicionou em "adeus", depois tirou o tabuleiro do alcance.

Beth jogou a cabeça para trás como se tivesse sido estapeada por Ivy.

Beth, o que você está fazendo? Não acredito que você tentou...

Ele está aqui — disse Beth em um tom de voz distante. — Não há como pará-lo.

Uma batida forte fez Ivy parar. Ela olhou para a escada, havia alguém na porta do chalé. Beth inclinou-se para frente e calmamente soprou cada uma das velas. Antes de soprar a última, Ivy correu escada abaixo. Suspirando profundamente, ela abriu a porta da frente.

Ah, graças a Deus — ela disse.

— Ivy, você está bem? — perguntou João, entrando rapidamente no chalé. — Você está tremendo? O que aconteceu?

Só estou assustada.

Estava escuro demais para ver os olhos dele, mas dava para perceber que João estava analisando Ivy.

— Assustada por minha causa? — ele perguntou.

Ela riu de forma não muito estável e disse: — Não. Beth, como é que eu poderia explicar? É uma longa história.

Então, vamos dar uma longa caminhada — ele disse.

— A coisa que mais amo na praia é que metade do mundo é formada pelo céu — Ivy disse a João quando chegaram ao topo da escada que descia o penhasco.

— Uma metade do mundo são as estrelas — ele continuou.

Ivy virou-se para ele. "Tristan", ela pensou, "você se lembra? Você se lembra de ter me beijado em uma catedral de estrelas?"

João olhou para cima, inclinando a cabeça para trás, apreciando as estrelas. — Elas brilham tanto quando estamos longe das luzes da cidade. Parecem mais próximas.

— Próximas demais — disse Ivy.

— Lá está Orion — apontou João. — Reconheço a espada.

Eles desceram as escadas juntos, tiraram os sapatos e seguiram o caminho das dunas.

— Quer caminhar na beira do mar? Agora que já sei boiar — disse com um sorriso —, não tenho medo de me afogar na beirinha.

Ivy segurou a mão de João e caminharam pela água. A maré estava baixando, deixando para trás um rastro prateado de pedras e conchas. Quando se distanciaram um pouco mais, Ivy virou-se para olhar as pegadas, as dele ao lado das dela, no mesmo ritmo. João também se virou, depois sorriu, colocou o braço ao redor do corpo dela e eles continuaram a caminhar.

— Então, me diga o que assustou você — disse João. — Foi alguma coisa com a Beth?

Ivy concordou com a cabeça e disse: — Beth é médium.

João parou no meio do passo. — Ela é?

— Sim, ela tem esse dom de verdade. Mas é também uma maldição. O que a Beth vê, frequentemente, a assusta.

— Você disse que ela a ajudou no ano passado. Será que ela percebeu que Gregory era o assassino?

— Ela percebeu grande parte da situação.

— O que ela viu hoje? — ele perguntou.

Ivy deu de ombros e disse: — Isso não importa. Eu exagerei. Às vezes, acho que a Beth mistura o que vê, com o que imagina. Ela tem uma imaginação muito fértil.

Com uma das mãos, João virou o rosto de Ivy de frente para o dele e olhou intensamente para ela. — Acho que importa, sim, porque isso a deixou chateada. Mas você pode me contar quando estiver pronta — então, ele soltou o braço dela e disse: — Olha só isto!

Ele se lançou sobre a água até a altura da coxa, depois virou-se para ela e sorriu, deixando uma onda passar sobre ele. — Está impressionada? — ele perguntou. — Me diga que está impressionada.

— Muito!

Ela foi correndo em direção a ele, chutando a espuma das ondas. Ficaram de mãos dadas, um de frente para o outro, deixando as ondas passarem sobre eles. Toda vez que a onda recuava, ela sentia que ele a segurava ainda com mais força. — Você não gosta quando a maré volta.

— Assusta-me mais do que a onda quebrando — ele admitiu. — Parece que o mar quer me levar de volta para a escuridão.

— Não vou deixar o mar levar você — disse Ivy. — Nada vai me fazer soltá-lo.

— Como é que fui ter tanta sorte? Devo ter feito algo muito bom na vida.

— Você fez muitas coisas boas.

Ele riu.

— Sério, eu sei! — ela insistiu.

Ainda rindo, ele ergueu a mão esquerda de Ivy e a beijou.

— E acredito em algo maior que sorte — ela disse.

— Nos seus anjos — ele concluiu. — Você quase me fez acreditar... Quase.

Voltaram para a margem e seguiram suas próprias pegadas, voltando ao caminho das dunas. Na metade dos degraus de madeira, no pátio com os bancos, João pegou Ivy pelo cotovelo e perguntou: — Podemos parar? Quero dar uma olhada.

Juntos, olharam para o mar e para o céu, uma eternidade negra e prateada.

— Sinto como se estivéssemos flutuando no ar — ele disse.

— Na metade do caminho entre o céu e a terra — continuou Ivy.

João virou-se para ela. Segurando seu rosto com as duas mãos, inclinou-se para beijá-la ternamente no ombro. Sua boca moveu-se mais para frente no pescoço, fazendo uma suave pressão — Eu te amo, Ivy.

Ela recostou-se no peito dele e disse: — E eu amo você — "Sempre amei", disse em sua mente.

— Achei que tivesse perdido tudo o que era possível perder — disse João. — Mas disse a mim mesmo que as coisas não poderiam ficar piores, sem uma identidade, não havia nada a perder. Estava errado. Estou morrendo de medo de perder você. Se perder você, Ivy...

— Shh! — disse, dando uma batidinha no rosto dele.

— Se eu perder você, seria melhor que tivesse me afogado.

— Você não vai me perder.

Ele balançou a cabeça negativamente. — Mas se algo se colocar entre nós...

— Não vai — ela disse. — Prometo, nada no mundo vai se colocar entre nós.

Eles viraram para terminar de subir o restante da escada e caminharam lentamente pela pousada, o braço dele ao redor da cintura dela. Ivy não queria pensar no que tinha acontecido no passado ou no que o futuro reservava. Tristan havia voltado para ela. Viver no presente era tudo o que ela queria. Tudo o que ela sempre quis estava ali e agora.

— Luke McKenna?

Assustada pela voz profunda, Ivy olhou para cima e foi surpreendida ao ver dois policiais. João olhava para os lados, soltando o braço dela.

— Você está preso — disse o homem. — Você tem o direito de...

João saiu correndo, escondendo-se no meio das árvores. Os oficiais começaram a procurar por ele com as lanternas acesas, mas ele fugiu por entre os pinheiros no meio da escuridão. A policial mais jovem, uma mulher, foi atrás dele. O homem corpulento ficou com Ivy, de braços cruzados, examinando-a.

A mente dela viajava. "Luke", ela pensou. "O nome dele é Luke". E ele sabia, ela sentiu a reação dele quando o policial falou o nome. Há quanto tempo ele sabia? Desde o festival ou antes disso?

O policial virou-se para olhar por cima do ombro dela e Ivy o acompanhou com o olhar. Will estava de pé na metade do caminho entre o chalé e o celeiro.

— Você tem consciência do enorme perigo que estava correndo? — o homem perguntou a Ivy. — Você sabe o que Luke McKenna fez?

Ela olhou para o policial e não disse nada. Uma brisa fresca veio do oceano, deixando-a com frio — Sorte a sua — continuou o policial — que seu amigo nos alertou.

Ivy olhou para Will e fixou os olhos no policial. — Do que o João, o Luke, está sendo acusado?

O homem tinha um queixo duplo que se apoiava no colarinho do uniforme dele. Ele parecia avaliar Ivy, como se achasse que ela pudesse estar fingindo não saber. — Você não faz ideia?

— Não — disse, olhando diretamente nos olhos dele.

— Assassinato.

Capítulo 25

Ivy inclinou-se como se tivesse levado um soco no estômago. Mal conseguia andar até à porta do chalé e, quando finalmente chegou, jogou-se no primeiro degrau.

Alguns minutos mais tarde, a policial voltou, exausta. — Não consegui alcançá-lo — relatou, ofegante. — Ele está em boa forma e conhece a área melhor do que eu. É claro que, com um pouco de ajuda, teria conseguido.

O policial mais velho disse: — Não ouvi a moto dele ser ligada. E sei onde ele está morando. Vamos pegá-lo — então, virou-se para Ivy e disse: — Quero levá-la para pegar o depoimento dela. Não parece que ela não sabe de nada.

— Quantos anos você tem? — a mulher perguntou.

— 18 — disse Ivy, supondo que isso evitaria que entrassem em contato com sua mãe.

— Não estamos acusando você de nada, só queremos fazer algumas perguntas. Mesmo assim, você tem direito a ter um advogado presente.

— Não preciso de advogado.

— Quer trazer um amigo? — sugeriu a mulher, apontando para Will, que se aproximava deles.

"Will ao resgate", pensou Ivy, "Will ao resgate mais uma vez". — Obrigada, prefiro ir sozinha.

Will parou no meio do caminho.

— Certo, meu carro está no estacionamento.

O carro do policial mais velho ficou atrás, esperando ajuda para pegar a motocicleta. Ivy seguiu o carro da polícia. Na pequena delegacia, foi levada a uma sala que tinha cheiro de café queimado e pipoca feita no micro-ondas.

— Você quer alguma coisa: água, café, chá? — a policial perguntou, servindo-se de um café lamacento, misturando-o com punhados de creme.

Ivy balançou a cabeça negativamente.

— Meu nome é Donovan — disse a oficial, sentando-se de frente para Ivy. — Rosemary Donovan — disse, dando a Ivy um cartão com o seu nome, número da insígnia e do telefone. Depois, abriu uma pasta. — Tenho algumas perguntas.

Lenta e dolorosamente, Ivy respondeu a todas as perguntas: como e quando conheceu Luke, como ele saiu do hospital e o que ele havia contado sobre seu passado: nada. A pergunta final foi a mais difícil para ela: o que ela havia observado nele quando estavam juntos? Ivy ficava olhando para o café na mesa entre elas.

O que ela poderia dizer? Que havia observado ternura com um gato de rua? Que quando João, Luke, a beijava, ela quase chorava por sentir tanto amor? Como alguém que parecia ser tão adorável poderia ser um assassino? Como ele poderia ter agido de forma tão convincente?

"Gregory está aqui."

Lembrando-se da mensagem do tabuleiro *Ouija*, Ivy sentiu um calafrio pelo corpo: Gregory havia voltado, exatamente como Beth disse. E Lacey estava certa: ao entrar na mente de João, Gregory poderia facilmente persuadi-lo, influenciá-lo.

Depois de um longo silêncio, Donovan perguntou: — Você está apaixonada pelo Luke?

Ivy sentiu que iria passar mal. Como ela poderia ter se apaixonado por um coração assombrado por Gregory? Apoiou a cabeça nas mãos.

— Há alguma coisa que você queira falar comigo? — perguntou a policial, baixinho.

— Não.

— Talvez você queira fazer algumas perguntas — sugeriu a policial.

Ivy olhou para cima e perguntou: — Quem foi assassinado? Por que você acha que — ela hesitou, depois esforçou-se determinada a usar o nome verdadeiro dele — Luke fez isso? Como Will sabia que Luke era procurado por assassinato?

— Will O'Leary? — Donovan verificou o arquivo. — Ele entrou em contato com o hospital em Hyannis, falando-lhes sobre um paciente que tinha fugido. O'Leary deu o primeiro nome do paciente e o policial entrou em contato com a polícia local, que entrou em contato com outros municípios. Fizemos uma comparação e percebemos que estávamos investigando uma pessoa que tinha muito mais do que contas médicas não pagas em seu histórico. Quanto à vítima — ela mostrou uma fotografia que estava sobre a mesa.

Ivy viu uma garota de cabelos e olhos negros, seus olhos tinham um ar travesso.

— O nome dela é Corinne Santori.

— Qual a idade dela? — Ivy perguntou.

— Dezenove. Era uma ex-namorada de Luke. Uma amiga disse que ficaram noivos em segredo. Ela terminou e ele ficou furioso.

— Como ele... fez isso?

— Ele a estrangulou.

Ivy fechou os olhos, lembrando-se, na metade do caminho entre o céu e a terra, da ternura com que havia beijado seu pescoço.

— Você está bem? — a mulher perguntou.

— Sim — Ivy suspirou profundamente, depois descreveu a garota que viu conversando com ele no festival. Ela não escondeu o fato de que ele havia mentido, negando que a garota o tivesse chamado de Luke.

"Mentindo, negando, fingindo não se importar", Ivy pensou. "Por que eu não vi Gregory na presença de João?"

Quando terminaram, a policial se ofereceu para acompanhar Ivy de volta à pousada.

— Está tudo bem — Ivy insistiu.

— Então, vou pedir ao meu parceiro para esperar você chegar.

Ivy concordou com a cabeça.

— Tome cuidado, Ivy. Tome muito cuidado. Não queremos que haja outra garota morta.

Capítulo 26

Quando Ivy voltou para a pousada, viu uma caminhonete guinchar a moto de Luke e sair do estacionamento. O policial mais velho foi seguindo o carro. Tia Cindy ainda não havia voltado, mas Ivy sabia que algum hóspede deveria ter notado o carro da polícia e perguntaria a ela o que havia acontecido. Ivy pegou um papel e uma caneta na cozinha e os levou ao balanço para escrever uma nota explicando o ocorrido. Anotou os fatos mais básicos: havia descoberto que o nome de João era Luke McKenna, que ele era procurado pela polícia e que, quando tentaram prendê-lo, ele fugiu. A polícia a interrogou, mas ela não sabia nada sobre a vida anterior de Luke.

Ivy sentiu-se estranhamente calma ao escrever. Era como se o seu coração e a sua mente tivessem se fechado, antes que ela pudesse digerir o horror das ações de Luke totalmente. Estava assinando a mensagem quando ouviu a porta de tela do chalé se abrir.

Beth ficou parada na porta, olhando para Ivy e perguntou: — Como você está?

O tom de Beth tinha a doçura de sempre, e a cor forte em suas bochechas haviam desaparecido; se ela não tivesse testemunhado a sessão de *Ouija* mais cedo, naquela noite, nem teria imaginado que aquilo havia acontecido.

— Estou bem — ela respondeu, imaginando que Will já tinha dado todos os detalhes sórdidos a Beth.

— Você quer ficar sozinha?

— Não, estou feliz por você estar aqui, Beth.

Quando Ivy mostrou a ela o bilhete, Beth apoiou a mão na de Ivy e disse: — Sinto muito. Sinto muito mesmo.

Eram palavras tão simples. Ivy começou a chorar. A dor era tão forte que sentia que não conseguia respirar. Beth colocou a mão delicadamente nas costas de Ivy.

— Como pude ser tão cega? — disse Ivy, soluçando em meio às lágrimas. — Você estava certa, Beth. Você estava certa o tempo todo. Como pude imaginar que João era Tristan?

— Posso entender como — Beth respondeu. — Você ainda sente a falta de Tristan. A ferida ainda está cicatrizando. Seu coração queria tanto que fosse ele, que você se convenceu.

— Mas você e Will me avisaram. E eu me recusei a escutar. Sinto tanto.

Beth ficou em silêncio.

— Ultimamente, vinha me perguntando: "O que está acontecendo com a Beth?" Mas era eu quem estava agindo de forma estranha. E você, você me via cometendo os mesmos erros que cometi antes, confiando na pessoa errada. — Ivy deu um suspiro profundo, exalando bem devagar. — Foi na noite da sessão espírita, não foi? Que deixamos Gregory voltar ao nosso mundo?

Beth concordou com a cabeça deixando os cabelos caírem na frente do rosto.

— Ano passado — disse Ivy —, quando Tristan voltou, era fácil para ele entrar na mente de Will. Will não era médium como você, nem acreditava em anjos como Philip, mas Tristan tinha acesso porque ele e Will tinham pensamentos comuns. Da mesma forma — ponderou —, ficaria fácil para Gregory entrar na mente de um assassino.

— Especialmente sendo alguém da mesma idade que ele, como Luke — disse Beth.

Ivy deu de ombros e disse: — Quando você estava consultando o *Ouija,* hoje à tarde, a palheta soletrou "Gregory está aqui".

— Achei que, se pudesse entrar em contato com ele... — Beth começou a explicar.

— E quando desci e abri a porta — Ivy continuou —, lá estava ele.

— Ele vai voltar — disse Beth. — Em algum momento, Luke vai voltar — ela disse, apertando a mão de Ivy. — Não se afaste de mim, Ivy. Não agora. Precisamos tomar conta uma da outra. Por favor, não se afaste.

Ivy abraçou Beth e disse: — Nunca. Jamais.

Ivy deixou o bilhete na caixa de entrada da tia Cindy. Ao voltar para o chalé, olhou para o celeiro. A ferida ainda doía muito para tentar uma aproximação com Will e reparar a situação com ele. Se havia uma coisa que tinha aprendido nas últimas semanas, é que não amava Will da forma que havia amado Tristan, de corpo e alma, e da forma como havia começado a amar Luke. Não podia ignorar esse fato, fingindo que o amava assim.

Quando Ivy saiu do banho, Beth já estava na cama.

— Você está bem? — Ivy perguntou.

— Sim, e você?

— Vou ficar — Ivy respondeu com determinação.

— Contanto que fiquemos juntas — disse Beth —, tudo vai ficar bem.

Ivy ficou deitada na cama por um tempo, olhando para o teto. Beth dormiu rapidamente, e Dhanya e Kelsey chegaram em casa uma hora mais tarde. Ivy ficou quieta até ter certeza de que todas estavam dormindo, então se levantou e desceu a escada na ponta dos pés. Quando acendeu o abajur ao lado do sofá da sala de estar, foi acolhida por um delicado miado.

— Dusty! Você tinha de estar lá fora protegendo o jardim de ratos e outros roedores.

O gato rolou no sofá, ficando de barriga para cima para ser acariciado, depois saiu do sofá e foi até a porta. Ao deixá-lo sair, Ivy olhou para a fechadura quebrada da porta de tela. Em um lugar em que as portas geralmente ficam destrancadas, não havia motivo para arrumá-la. Por um momento, Ivy pensou em fechar a porta principal com a trava, mas voltou ao sofá sem fazer isso. Luke era um fugitivo da polícia e não voltaria a um lugar em que todos sabiam sua identidade. Quanto a Gregory, portas trancadas não iriam impedi-lo.

Ivy começou a montar um quebra-cabeça e quase terminou antes de sentir o sono voltar. Apagou a luz e se deitou no sofá, olhando para a porta de tela, observando as sombras feitas pela lua e pela escuridão. Depois, virou para o outro lado do sofá e dormiu.

Um pouco mais tarde, foi acordada de súbito. Ao olhar para o tecido listrado do sofá, Ivy não sabia onde estava a princípio e não sabia o que a havia acordado. A sala estava escura, a casa silenciosa.

De repente, sentia a mão de alguém tampando sua boca.

"Luke", pensou, e tentou se livrar dele, chutando as pernas para frente, mas o agressor obviamente tinha muito mais força física, pois nem foi preciso muito esforço para controlá-la.

— Ivy, shhh! shhh! — disse Luke.

Ela lutou com força, movendo a cabeça para os lados, tentando morder a mão dele para afastá-lo. "Tristan, me ajude! Tristan, por favor!", ela rezou.

Luke a segurou bem forte de costas contra o peito dele, mas

soltou a boca. Antes que ela pudesse gritar, ele segurou em sua frente uma pequena moeda brilhante — Ivy, eu me lembro — disse baixinho.

— Se lembra? Se lembra de quê? De ter matado Corinne?

Ele colocou a moeda na mão dela e disse: — Da primeira vez que nos beijamos, você estava mergulhando para procurar uma moeda. Vi você no fundo da piscina e achei que tivesse se afogado. Pulei e fui atrás de você.

Por um momento, Ivy ficou sem fala, sem respiração.

Ele pôs a mão sobre a dela, depois entrelaçou os dedos e disse: — Eles me chamam de Luke, mas meu nome... é Tristan.

O coração dela bateu forte como na noite do acidente. Ela se virou de frente para ele, deixando a moeda cair no chão. Ele acariciou o rosto dela e o rosto dele se iluminou de admiração ao olhar para ela. Beijou-a, depois ficou de rosto colado com ela. Dava para sentir as lágrimas quentes dele em seu rosto.

— Tristan, achava que fosse você, mas depois deixei de acreditar.

— Não deixe! Se você deixar de acreditar, não haverá nada além de escuridão para mim.

Ela o abraçou com muita força e disse: — Eu te amo, Tristan. Eu sempre amarei você.

— Sempre, Ivy — ele sussurrou, como tinha feito naquela noite.

— Não vou suportar deixá-lo partir novamente — disse, sentindo o profundo suspiro dele.

— Ivy, tem alguma coisa errada. Não sei o que aconteceu entre o momento em que disse adeus a você como Tristan e o dia em que ganhei consciência como João, como Luke — ele se corrigiu. — Mas tem alguma coisa terrível acontecendo. Sinto isso do fundo da minha alma.

— O que você é? — Ivy perguntou. — Anjo ou humano? É como antes, quando você falava por Will e Beth?

— Não — ele deu um passo para trás, mas continuou segurando a mão dela. — O rosto de Luke é o meu rosto agora, as mãos dele são as minhas, e só minhas. Não sei onde está o espírito de Luke. A mente e a alma dele não estão neste corpo, e não sei nada sobre a vida dele, além do que me dizem. As coisas das quais estou me lembrando aos poucos são da minha vida como Tristan.

— Você se lembra de Gregory? — ela perguntou. — Digo, além do que contamos outro dia?

— Lembro-me de como era ficar cara a cara com ele. Lembro-me dos olhos acinzentados. Às vezes eram tranquilos e distantes, em outras, quando pego de surpresa, queimavam de raiva.

— Gregory voltou.

— Voltou? — Tristan repetiu. — Ivy, se isso for verdade, você está correndo perigo.

— Hoje, mais cedo, Beth estava tentando se comunicar com ele através do tabuleiro *Ouija*. A palheta soletrou "Gregory está aqui". E quando eu desci a escada — Ivy parou, sentindo o calafrio que percorria sua coluna.

— Você abriu a porta e me viu. Logo depois descobriu que eu tinha sido acusado de assassinato e acreditou que Gregory estava dentro de mim.

Ivy concordou.

— Quem mais estava na casa, então? — Tristan perguntou.

Ela não respondeu.

— Ivy, quem mais?

Ela olhou por cima do ombro, depois virou-se para a porta de tela, ouvindo vozes lá fora. Os feixes de luz das lanternas corriam pelo jardim.

— A polícia voltou — disse Ivy, segurando firme o braço de Tristan. — Suspeitaram que você fosse voltar.

A voz de tia Cindy era mais alta que a dos demais. — Isto é uma pousada. Há hóspedes dormindo. Não podem invadir uma propriedade particular assim...

Tristan envolveu Ivy em seus braços e disse: — Não posso deixar você com...

— Eles só o conhecem como Luke — ela disse. — Pensam que você é um assassino. Você precisa ir.

— Quem mais além de Beth estava aqui ?— disse Tristan em um tom imperativo.

— Vá — implorou Ivy, arrastando-o para a porta da cozinha. — Vá, Tristan. Por favor, vá!

— Você está correndo muito perigo, Ivy.

— Da cadeia você não poderá me ajudar. Vá!

Ele aproximou seu rosto do dela, beijando-a uma última vez, e então saiu pela porta.

Ivy sabia que, se a polícia a visse lá embaixo, entenderia que ele teria passado por ali. Subiu a escada correndo.

"Anjos, protejam-no. Anjos, me protejam", ela rezou.

Depois, olhou de frente para sua cama. Beth, sua melhor amiga, dormia, o rosto sereno e pálido, os cabelos castanhos-claros espalhados pelo travesseiro. Engolindo a seco, Ivy admitiu para si mesma o que não foi capaz de admitir em voz alta para Tristan: a única pessoa que estava na casa quando o tabuleiro *Ouija* soletrou a mensagem assustadora era Beth.

Beth, sendo médium natural, tinha a mente mais fácil de penetrar quando Tristan tentou se comunicar com Ivy no verão passado. Na noite da sessão espírita, Gregory provavelmente descobriu o mesmo portal na mente de Beth. Ivy tinha atribuído as dores de cabeça de Beth ao acidente, mas, pensando bem, percebeu que haviam começado, imediatamente, após a sessão.

Desde então, o comportamento de Beth foi ficando cada vez mais estranho. Ivy sabia o que isso significava. A cada momento que se passava, Gregory estava ganhando força dentro dela.

— Ivy Lyons! — gritou a polícia, batendo na porta do chalé.

Ivy quase soltou uma gargalhada. A lei e as armas eram inúteis contra um demônio que queria somente uma coisa: Ivy.

RR DONNELLEY

IMPRESSÃO E ACABAMENTO
Av Tucunaré 299 - Tamboré
Cep. 06460.020 - Barueri - SP - Brasil
Tel.: (55-11) 2148 3500 (55-21) 3906 2300
Fax: (55-11) 2148 3701 (55-21) 3906 2324

IMPRESSO EM SISTEMA CTP